알라딘 난로 39, 15, 8 시리즈 지침서

발 행 | 2024년 07월 22일
저 자 | 이준혁
펴낸이 | 한건희
펴낸곳 | 주식회사 부크크
출판사등록 | 2014.07.15.(제2014-16호)
주 소 | 서울특별시 금천구 가산디지털1로 119 SK트윈타워 A동 305호
전 화 | 1670-8316
이메일 | info@bookk.co.kr

ISBN | 979-11-410-9642-7

www.bookk.co.kr

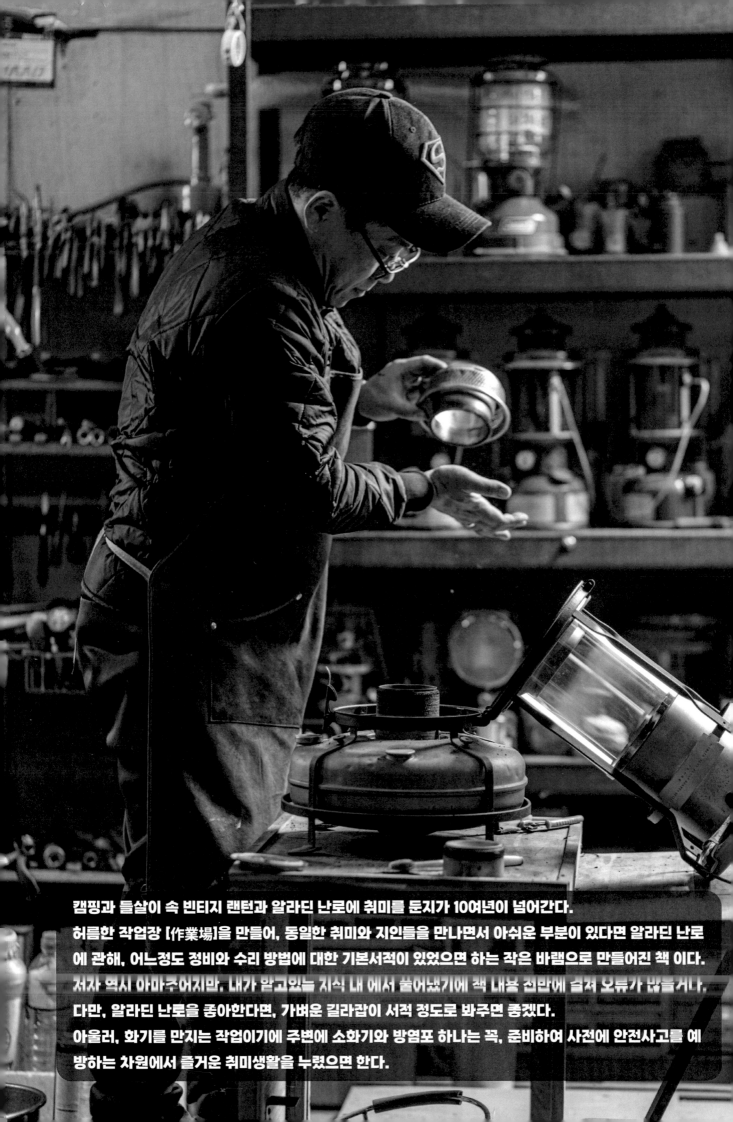

캠핑과 들살이 속 빈티지 랜턴과 알라딘 난로에 취미를 둔지가 10여년이 넘어간다.
허름한 작업장 [作業場]을 만들어, 동일한 취미와 지인들을 만나면서 아쉬운 부분이 있다면 알라딘 난로
에 관해, 어느정도 정비와 수리 방법에 대한 기본서적이 있었으면 하는 작은 바램으로 만들어진 책 이다.
저자 역시 아마추어지만, 내가 알고있늘 지식 내 에서 풀어냈기에 책 내용 전반에 걸쳐 오류가 많을거나,
다만, 알라딘 난로을 좋아한다면, 가벼운 길라잡이 서적 정도로 봐주면 좋겠다.
아울러, 화기를 만지는 작업이기에 주변에 소화기와 방염포 하나는 꼭, 준비하여 사전에 안전사고를 예
방하는 차원에서 즐거운 취미생활을 누렸으면 한다.

이 준 혁. 010-3492-0661

1975년 출생. 서울과학기술대학교 (구)서울산업대학교 공업디자인학과 졸업.

서울산업대학교 Universal Design 석사.

2024년 6월 02일 : 알라딘 난로 지침서 발고.

2023년 5월 09일 : 페트로막스 & 베이퍼룩스 & 틸리 랜턴 지침서 발고.

2022년 8월 27일 : 콜맨 가솔린 랜턴 지침서 발고.

2023년 5월 09일 : 등유랜턴 지침서 발고.

2013년 ~ 2024년 : Zac up Zhang / 作業場 [작업장] – 취미공방운영

　　가압식 랜턴 / 빈티지 랜턴과 난로 / 알라딘난로 전문수리로 현재까지.

2014년 ~ 2024년 : 영국제 알라딘난로 복원에 관심 현재까지.

2009년 ~ 2024년 : 가압식 랜턴에 빠져 현재까지.

2008년 ~ 2024년 : 캠핑시작으로 진행형.

2006년 ~ 2018년 : 서울과학기술대학교 (구)서울산업대학교 외 출강.

https://blog.naver.com/hb0661　　　　https://www.instagram.com/junhyuck75

〈 목 차 〉

ALADDIN HEATER 역사편

1908

Victor S. Johnson, (1882-1943)
시카고에 The Mantle Lamp Company of America 를 설립.

1909

1909년 초 Aladdin 램프를 출시 후, 1926년 알라딘 램프 부품을 만들기 위해 인디애나주 알렉산드리아에 있는 Lip pincott Glass 공장을 구입하여, 이름을 Aladdin Indu stries로 변경한다. (알라딘 램프는 1963년까지 미국에서 제조. 1977년부터 알라딘 버너는 홍콩 제조.) (1999년 램프부분을 매각.)

1919

Victor S. Johnson은 영국에 The Mantle Lamp Co 의 자화사로 Aladdin Industries, Inc.를 설립한다. Aladdin Industries는 "세계에서 가장 큰 파라핀 맨틀 램프 하우스"를 제조하는 회사가 된다. (1924)

* Mike Imber(손자)에 따르면, 1931년 그린 포드 공장 설립까지 Jack Imber 가 깊이 관여했다 한다.

1922

Aladdin Heater의 초기모델 1.
Aladdin twin burner radiator super aladdin model No.11 (1922-1928)

* 1인치 심지를 사용과 램프 버너부를 그대로 사용한 난로

Aladdin Heater의 초기모델 2.
Aladdin twin burner radiator super aladdin model No.14 (1933-1935)

* 1인치 심지를 사용과 램프 버너부를 그대로 사용한 난로

(영국의 JACK IMBAR는 1908년부터 시판한 알라딘 램프의 연소율이 좋은 파란불꽃방식을 이용해 난방기구에 접목시키고 있었다.)

Aladdin Aircraft condenser Heater
비행기안에서 사용하던 알라딘 난로
알라딘난로 Aircraft Heater (1930년대)

* 1인치 심지를 사용과 램프 버너부를 그대로 사용한 난로.

Aladdin series 5 radiator heater (1930년대)

4리터 물을 넣어 사용하는 스팀 라이에이터 방식이며, 4.5L 연룡통을 사용으로 상당한 무게로인해 작은 바퀴가 달려있다.

* 1인치 심지를 사용과 램프 버너부를 그대로 사용한 난로.

영국 산업 박람회에서 알라딘 램프, 알라딘 블루 플레임 히터, 라디에이터, 오일 쿠커, 오븐 및 핫플레이트, 모든 난방용 알라딘 파라핀 버너등을 전시에 참가했다.

1938

Aladdin series 8 (전기형)
Blue Flame Heater

* 3인치 심지 및 보어 사이즈를 사용하는 방식.
* 연료통 전체(상/하판)모두 황동재질로 제작
  된 버전이다.
* 기존의 램프에 들어가는 1인치 심지 열량으로
  는 난방효과가 낮아, 보어 사이즈를 3인치로
  키워 열량을 높인 최초의 난로다.

1940

Aladdin series 8 (후기형)
Blue Flame Heater

* 3인치 심지 및 보어 사이즈를 사용하는 방식.
* 연료통 전체(상/하판)모두 황동재질로 제작
  된 버전이다.

1950

1950년초 Jack Imber 와 RESERCH의 영 / 미합작회사인
"IMBAR RESERCH" 설립해서 '블루 프레임 석유스토브'의
연구개발에 착수하게 된다. 장기간의 연구 & 개발 끝에 만들
어진 스토브(난로)로 ' I.R.' Blue Flame Heater 가 최초로
만들어진다. I.R. 브랜드는 이후, 'IR BOWL HEATER' (BI-ALAD
DIN BOWL HEATER의 전신), 'IR LANTERN' (BI-ALADDIN 310
LANTERN 의전신)도 제품으로 만들어낸다. (세가지 제품 모두 짧은
기간 생산으로 현재 찾아보기 어렵다).
I.R.의 INBER RESEARCH 사는 짧은 브랜드 생명을 마감으로 영국
알라딘 사에 합병된다.

Aladdin series 6/7/8/9 radiator heater. (1940s ~ 1960s)
칸막이형 주름판에 열을 가둬 열기를 보호하는 라디에이터.

* 1인치 심지를 사용과 램프 버너부를 그대로 사용한 난로

Aladdin greenhouse heater series 5/2, series 17 (1950~1960s)
* 1인치 심지를 사용과 램프 버너부를 그대로 사용한 난로

Aladdin series H2201 (1950s 초반 ~ 1960s 초반)
아시아, 중동, 남미, 북미, 유럽 등, 본격 판매.
(전세계20여 개국 현지공장 생산체계).

* 연료통 전체(상/하판)모두 황동재질로 제작된 버전이다.
* 3인치 심지 및 보어 사이즈를 사용하는 방식.

알라딘 난로의 가장 부흥기 시대인 1950년
대에 들어와서 3인치 심지 난로가 표준으로
자리를 잡는다. 알라딘 난로 8 시리즈와 알
라딘 난로 IR 버전 이후, 20여 개국에 수출
및 현지생산 공정 (OEM 방식)까지 갖추어
본격적으로 파란불꽃이 전세계에 뿌려지게
되는 시기이며, OEM 방식의 시스템으로 인
해, 마지막 아시아의 일본 현지에서 생산했
던 회사가 현재, 알라딘 난로 라이센스를 획
득해서, 지금까지 알라딘 난로의 명맥이 끊
기지 않고 생산되게 된다.

1950

Aladdin series 16 (1950s ~ 1960s)

아시아 시장은 일본에서 처음
으로 알라딘 난로를 수입하였
고, 아시아쪽 생산 및 판매 공
장은 일본에 자리 잡는다.

* 일본현지생산 제품 추정.
* 심지홀더와 작은톱니기어가 고착되는 단점이 있다.
* 3인치 심지 및 보어 사이즈를 사용하는 방식.

1950

1953s 영국잡지의 알라딘 핑크 파라핀 광고 문구.

알라딘 난로의 역사를 알기위해서 '알라딘 핑크' 를 빼
놓을 수 없는 부분이기에 간략한 설명으로 알라딘 난로
전용 등유(파라핀) 제조 및 판매 브랜드 이름이다.

1950

Aladdin series 25 (1950s 후반 ~ 1960s 초반)

특이한 점은 일본내 내진설계를 추가
하여 만들어서 심지 홀더를 움직일 수
있는 작은 톱니로 상 / 하 심지조절을
하는 방식이다.

* 심지홀더와 작은톱니기어가 고착되는 단점이 있다.
* 3인치 심지 및 보어 사이즈를 사용하는 방식.

1960

Aladdin series 32 (1960s ~ 1969s)

일본내 내진설계를 추가
하여 만들어서 심지홀더
를 움직일 수 있는 작은
톱니로 상 / 하 심지조절
을 하는 방식이다.

* 일본내 10만대 이상 판매되었다 한다.
* 심지홀더와 작은톱니기어가 고착되는 단점이 있다.
* 3인치 심지 및 보어 사이즈를 사용하는 방식.

1960

IRAN Aladdin Heater (1960s 후반 ~ 1970s 초반)
(H2203, H42201 ~ 42205 시리즈 포함.)

유라시아쪽 현지생산공장은 이란에 자리 잡는다.
이러한 이유로 '이란' 이름의 알라딘 난로가 만들
어진 이유이다.

* 3인치 심지 및 보어 사이즈를 사용하는 방식.

1960

Aladdin series H 42205 (1960s 후반 ~ 1970s 초반)

영국에서 만들어져 일본 수출품인
지,일본내 OEM생산품인지는 모
르나, 지진대비 장치가 없는 15형
스타일도 일본내 유통 되었다.

1960

Aladdin series NO. T . 150056

1960년대 들어와 알라딘 난로
시리즈의 첫 숫자가 15 로 시작
되어진다.

* 이 알라딘 난로는 이란 현지공
장에서 만들어진 모델이다.

15시리즈 계열 :
(P150051, P150056, P150060 와 T150060 등.)
* 3인치 심지 및 보어 사이즈를 사용하는 방식.

Aladdin series NO. P 150056

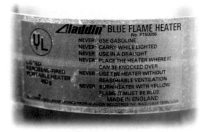

1960년대 들어와 알라딘 난로 시리즈의 첫 숫자가 15 로 시작 되어진다.

* 이 알라딘 난로는 네임스티커에 메이드 인 영국 으로 적혀 있다.

사실, 일본에서 만들어진 모델이라고 추정된다.

* 두 종류의 'Aladdin series 150056' 넘버가 같아 보이나, 숫자넘버 앞 알파벳이 다르다. T .150056 과 P 150056

* 3인치 심지 및 보어 사이즈를 사용하는 방식.

Aladdin series 15 (황동명판 버전)

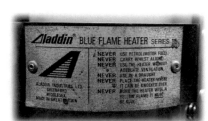

(1960s 후반 ~ 1970s 초반) 국내 정식수입 된 알라딘 난로 버전이다. 일명 : 평창동 난로. 국내 정식 수입품의 특징은 하 부에 원형판이 붙어져 나온다.

신발을 벗는 우리나라 특성의 문화환경에 맞춰 나온 이유다.

* 50년대 이후 알라딘난로 연료통 재질은 원가절감으로 변경된다. (상단 : 철재질 / 하단 : 황동재질)

* 3인치 심지 및 보어 사이즈를 사용하는 방식.

Aladdin series 15 (비닐명판 버전)

(1960s 후반 ~ 1970s 초반) 비닐재질 명판의 의미가 원가절 감을 위한 부분인지는 알수없다.

* 50년대 이후 알라딘난로 연료통 재질은 원가절감으로 변경된다. (상단 : 철재질 / 하단 : 황동재질)

* 3인치 심지 및 보어 사이즈를 사용하는 방식.

국내 정식 수입된 알 라딘 난로 15형,신한 무역에서 유통 및 총 판으로 국내 유명 백 화점 에서 판매 되었 다.

* 수입원 : 효성물산/제조원 : 알라딘,(영국)/한국총대리점 : 신한무역

* 탱크용량 : 4.5L / 연료소비량 : 0.17L/hr / 난방면적 : 3~5평

* 1979년도 미도파백화점에서 29만원에 판매되었다. (그당시 9급공무원 월급이 약, 34만원)

1960

1973

1975

Aladdin series 15 (1960s 후반 ~ 1970s 초반)

페르시아어가 적인 알라딘 난로 15형 버전이다.
페르시아는 현재 이란의 옛 이름이다. IRAN에서 OEM
생산된건지, 아님 영국에서 만들어져 이란으로 수출된건
지는 알 수 없다.

* 각 수출된 국가의 언어가 표기되어 있다.
* OEM 생산국가별, 법랑기술 및 도료색상의 편차가 있다.

Aladdin series 37 (1973s)

70년대 이후, 일본생산은 지
속적으로 진행되어지지만, 다
른나라에서는 알라딘 난로가
쇠퇴하는 추세로 추측 된다.
(1960s후반 ~ 1970s초반)

* 락다운 시스템인 자동 지진 소화장치를 채택해서, 지진발생시, 상단
  연통부에서 강제적으로 화구를 덮어 꺼지는 시스템이다.
* 이 락다운 시스템으로 인해, 알라딘난로 면심지 관리가 더 어려워진
  단점이라 본다.(지진을 대비한 방책이지만, 굉장히 불편한 사항이다.)
* 일본 OEM 생산제품 추정.

Aladdin series 38 (1975s)

락다운 시스템 장치
를 좀더, 보완 해서
덧붙인 업그레이드
버전으로 보면 된다.

* 핸드휠에 리턴스프링 장착,연통부 사이드락장치.
  연통부안쪽 강제연소부 덮개,지진발생시,쓰러지
  면 기울지 않도록 날개 프레임을 보조로 달아둔
  모습이다.

* 거주장스러운 보조장치들의 문제점과 그로인해,
  알라딘난로 파란불을 자유롭게 보기가 어려운
  문제점등이 발생한다.
* 그나마 전 모델인 37형 보다 심지교체와 중앙슬
  리브 라인 립립 및 수리가 용이하다.16, 25, 37
  형 모델은 동일한 구조로 정발, 정비성 및 관리의
  부재가 심하다. 한마디로 결함이 있다고 판단.

- 9 -

* 78년도 마크

* 95년도 마크

* 2010년도 마크

* 2022년도 현재 마크

Aladdin series 39 (1978s ~ 현재)

1978년 알라딘 난로 39형이 첫 시판된다. 그전의 37형, 38형의 단점들을 보완한 최종 업그레이드 버전이다.

일본은 1985년에 알라딘 난로 라이센스를 획득한다.이후, 알라딘 브랜드는 일본에 귀속되어 현재까지 만들어져 오고 있는 실정이다. 시대가 전기와 가스, 팬히터까지 등장한 이 시점에 알라딘난로가 여전히 살아남는 이유는 일본 특유의 근성도 있겠지만 확실한건 50년대 전기가 제대로 보급되기 전, 일본 가정집에서는 난방을 할만한 제품이 별로 없었다. 다다미 구조의 방과 목조건축, 4면이 바다로 둘러쌓인 지진 국가로, 겨울난방에서 냄새없고 안전하게 사용할 수있었던 난방기구가 바로 영국의 알라딘 난로 였다. 지진에 대한 안전 장치를 추가하여 자체적으로 알라딘 난로를 업그레이드 시켜서 오랜시간 사랑을 받는다. 현재까지 알라딘 난로의 기존방식 기술을 그대로 사용하면서 여러가지 제품들도 함께 만들고 있는게 일본의 알라딘 난로 브랜드이다.

* 질소산화물을 좀더 걸러낼수 있는 세라믹 필터. (2010년도 쯤, 추가되어 나온걸로 짐작.)
* 3인치 심지 및 보어 사이즈를 사용하는 방식. (심지홀더가 있는 클립방식의 심지체결.)
* 초기에 수평계가 달려있었지만 현재는 삭제됨.

BEAMS JAPAN은 2017년부터 매해년 다른 색상의 한정 콜라보레이션 모델을 발표해 호평을 받고 있다.

ALADDIN HEATER 15
외부 / 내부
명칭편

ALADDIN BLUE FLAME HEATER
SERIES 15　(알라딘난로 15 시리즈) 1.

상판(후드)
Top cover

상부 프레임
Top frame

명판
Nameplate

수평 프레임
Horizontally frame

운모창 프레임
Frame and screws for mica

운모창
Mica

걸쇠
Release clip

연료통 고정 나사
dome nut

심지조절 손잡이
Handwheel

난로 바닥판
Base plate

상판 후드 고정 보일링
Boiling ring

사용시 주의사항
Nameplate

난로 이동손잡이
Handle

광학 유량계
Oil gauge optical

유량계 창
Window washer

유량계 마개
Oil gauge cap

연료통
Tank

하부 프레임
Bottom frame

고정 브라켓
Bracket

ALADDIN BLUE FLAME HEATER
SERIES 15　　(알라딘난로 15 시리즈) 2 .

광학 유량계
Oil gauge optical

유량계 창
Window washer

유량계 마개
Oil gauge cap

걸쇠
Release clip

불꽃분산 부품 (스프레더)
Flame spreader

연소부 덮개 (갤러리)
Gallery

연소부 받침대 (바스켓)
Burner basket

연료통 고정 나사
dome nut

하부 프레임
Bottom frame

난로 바닥판
Base plate

연료통
Tank

고정 브라켓
Bracket

연료토 마개
Oil tank cap

심지조절 손잡이
(8각 핸들 명판)
Handwheel

ALADDIN HEATER 15
연료통 구조도

알라딘난로 15형 연료통 내부 구조도 .

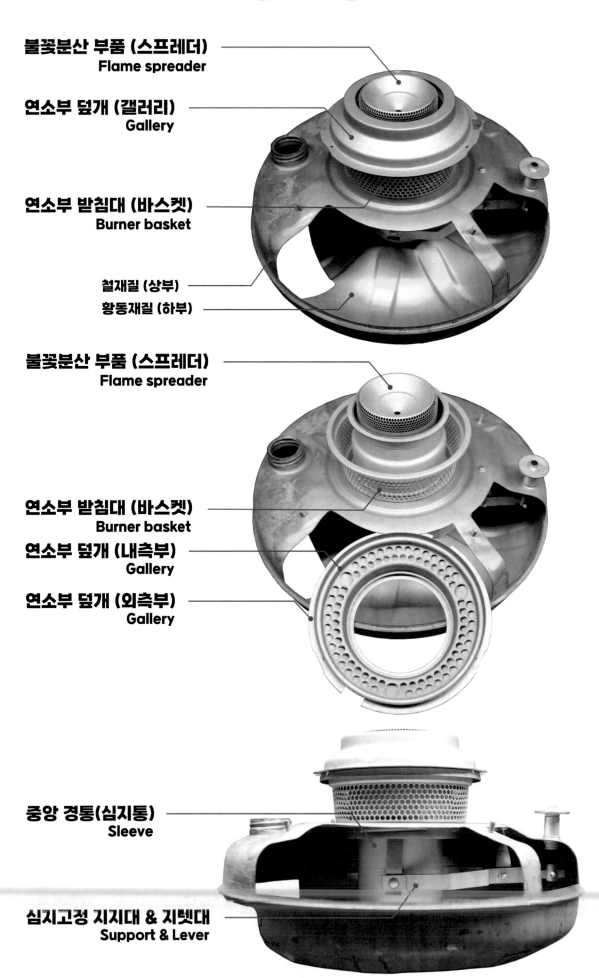

불꽃분산 부품 (스프레더)
Flame spreader

연소부 덮개 (갤러리)
Gallery

연소부 받침대 (바스켓)
Burner basket

철재질 (상부)
황동재질 (하부)

불꽃분산 부품 (스프레더)
Flame spreader

연소부 받침대 (바스켓)
Burner basket

연소부 덮개 (내측부)
Gallery

연소부 덮개 (외측부)
Gallery

중앙 경통(심지통)
Sleeve

심지고정 지지대 & 지렛대
Support & Lever

ALADDIN HEATER 15
심지 이동방식

알라딘난로 연료통 내부 심지 이동방식 1.

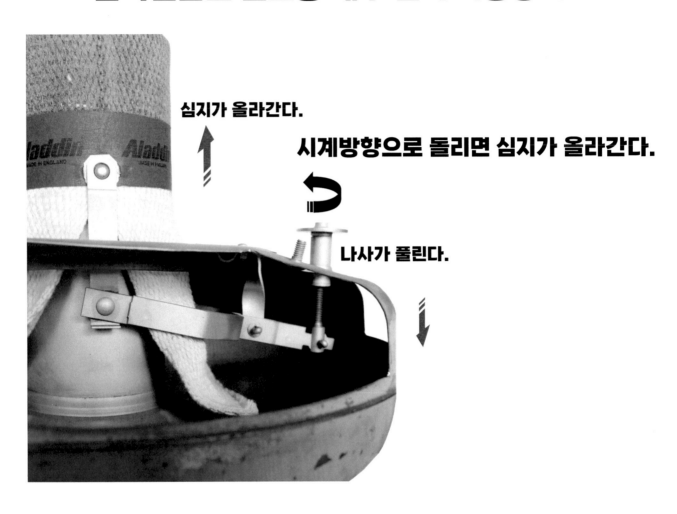

심지가 올라간다.

시계방향으로 돌리면 심지가 올라간다.

나사가 풀린다.

심지가 내려간다.

시계 반대방향으로 돌리면 심지가 내려간다.

나사가 잠긴다.

QR 코드를 스캔하면, 상
/ 하 움직임을 볼 수 있다.

알라딘난로 연료통 내부 심지 이동방식 2.

면 심지
Wick

심지조절 손잡이
Handwheel

연료통
Tank

심지를 최대로 올린 상태.

심지조절 지렛대 중간 정렬상태.

심지를 최대로 낮춘 상태.

핸드휠 & 지렛대 고정
[구형방식]

핸드휠 과 지렛대 [구형] 구분 1.

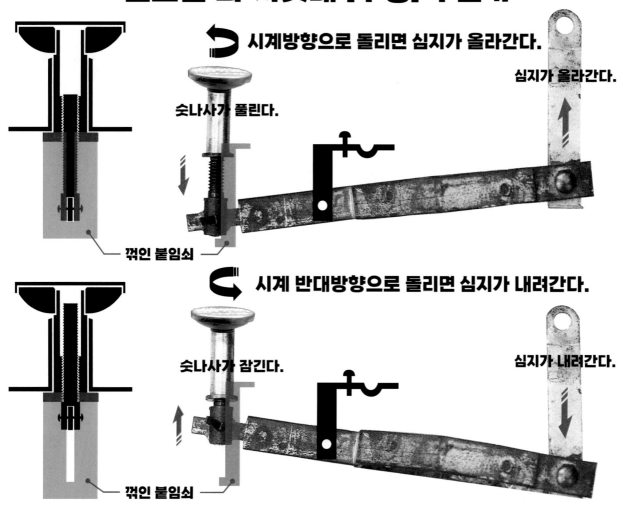

시계방향으로 돌리면 심지가 올라간다.

심지가 올라간다.

숫나사가 풀린다.

꺾인 붙임쇠

시계 반대방향으로 돌리면 심지가 내려간다.

심지가 내려간다.

숫나사가 잠긴다.

꺾인 붙임쇠

알라딘 난로 중, 심지 조절부인 핸드휠이 원형인 형태의 모습을 보여지는 버전이 1950년대 이전에 만들어진 난로로 보면된다. 이후, 핸드휠을 보다 편하게 돌리기위해, 8각 형태로 변경된다.

심지의 상/하 움직이는 지렛대의 범위를 제한해 주는 방식이 50년대 이전 구형버전 에서는 연료통 내부에 '꺾인 붙임쇠'로 고정되어 있다.

핸드휠 상판 원형 뚜껑을 프레스로 압착 후, 헛돌지 않게 납용접으로 한곳을 붙여놓은 구조로 분해 및 정비성이 매우 어렵다.

꺾인 붙임쇠

핸드휠 과 지렛대 [구형] 구분 1.

50년대 이전 구형방식의 심지 걸쇠뭉치는 반타원형 형태이다. 그리고, 심지 단추에 걸리는 걸쇠 구멍도 2단으로 심지의 높이를 임으로 조절이 가능하다.

50년대 이전(1938년 ~ 1950년 중반)에 만들어진 알라딘 난로의 걸쇠 및 지렛대 뭉치와 심지 상 / 하 이동을 제한하는 방식을 한눈에 볼 수 있다. 이 시기 연료통 재질은 상판 / 하판 모두 황동 재질이다.

── 구형방식의 숯나사선 중앙은 막혀있다.   꺾인 붙임쇠 ──

 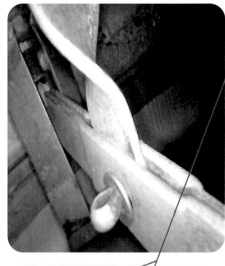 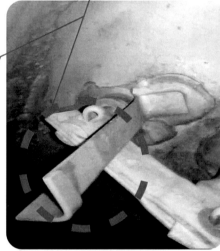

  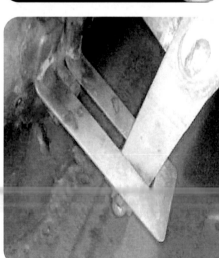

핸드휠 & 지렛대 고정
[신형방식]

핸드휠 과 지렛대 [신형] 구분 1.

외측 암나사 안쪽에 상 / 하 이동을 제한 하는 볼트가 더이상 내려가지 않게 턱이 져 있다.

시계방향으로 돌리면 심지가 올라간다.

심지가 올라간다.

숫나사가 풀린다.

심지 상/하 이동라 인을 제한 하는 볼 트가 박혀있다.

시계 반대방향으로 돌리면 심지가 내려간다.

숫나사가 잠긴다.

심지가 내려간다.

1960년 ~ 1970년 초반에 생산된 알라딘 난로
15형은 심지 조절부의 핸드휠이 8각 형태로 변경되어 핸드휠 움직임
을 보다 편하게 돌릴 수 있도록 디자인이 바뀌었다. 심지의 상/하 움직이는 지렛대의 범위를 제
한해 주는 방식도 50년대 이전 구형 버전에 비해 정비와 수리가 용이 해졌고, 8각 형태의 핸드
휠 상판 뚜껑도 분해하기가 보다 쉬워졌다.

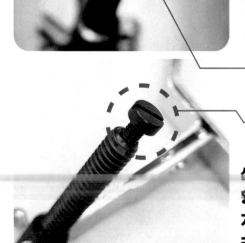

신형방식의 숫나사는 중앙이 뚫려 있다.

외측 암나사 황동 경통

상 / 하 심지 이동범위를 제한 및 잡아주는 역할을 하는 내측볼트

신형방식의 지렛대 상/하 조작범위를 황동 경통 내측부 턱걸림에 볼트 머리 가 걸리는 방식으로 상단에 구멍이 뚫 려 있고, 볼트가 체결되게 되어 있다.

핸드휠 과 지렛대 [신형] 구분 1.

1960년 ~ 1970년대의 신형방식의 심지 걸쇠뭉치는 구형 방식의 반타원형 형태에서 각진 형태로 변경 되어졌다. 아울러, 두겹의 철판이 덧붙여져, 좀더 휨와 뒤틀림을 최소화 시킨 형태이며, 심지 단추에 걸리는 걸쇠 구멍은 각각 하나만 뚫려있는 모습이다.

 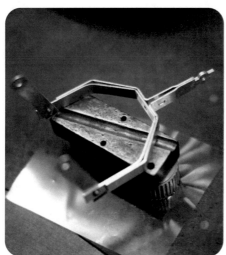 

신형방식의 알라딘 난로 15형 의 지렛대 뭉치 모습과 연료통 중앙 슬리브를 제거한 상태의 모습.

  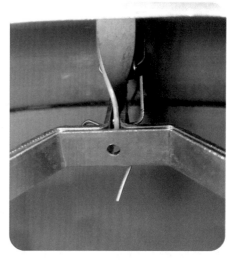

연료통 내측부에 심지 상 / 하 이동하는 숫나사 위치와 지렛대 뭉치를 연료통 내측부에 핀을 끼워 고정시키는 모습을 볼 수 있다.

1960년 ~ 1970년대에 생산된 알라딘 난로15형의 연료통 재질은 상판은 철재질, 하판은 황동재 질로 비철금속의 단가가 올라 저렴한 철재질을 부분 조합해서 원가절감 방식으로 변경 되어졌다.

ALADDIN HEATER 연소부

알라딘난로 연소부 부품도 1.

갤러리와 바스켓 부품의 타공 구멍들의 모습과 위치를 관찰할 수 있다. 각각의 구멍을 통해, 심지로 전해지는 공기의 흐름 통로이다. 이러한 구멍사이에 이물질(그을음)이 끼거나 쌓이면, 원할한 파란 불꽃을 볼 수 없으며, 각 부품들 틈새 사이가 벌어졌다면, 틈새로 세어 들어오는 도둑공기로 인해, 파란불 사이에 붉은 불꽃이 심하게 일어나는 현상이 발생하기도 한다.

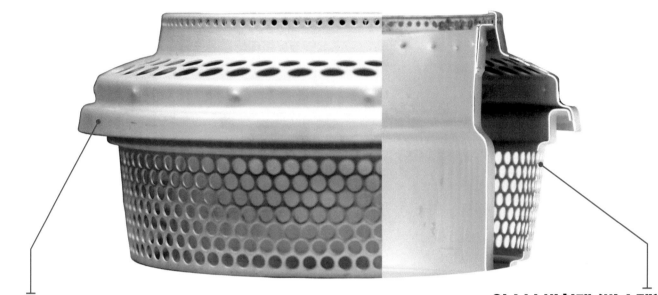

연소부 덮개 (갤러리_내측부)
Gallery

연소부 받침대 (바스켓)
Burner basket

연소부 덮개 (갤러리_외측부)
Gallery

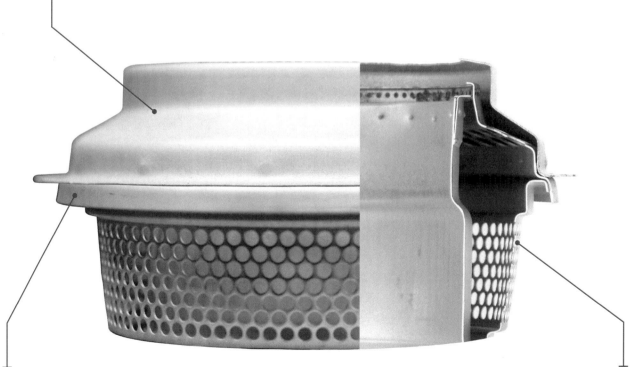

연소부 덮개 (갤러리_내측부)
Gallery

연소부 받침대 (바스켓)
Burner basket

알라딘난로 연소부 부품도 2.

불꽃분산 부품 (스프레더)
Flame spreader

연소부 덮개 (갤러리_내측부)
Gallery

연소부 덮개 (갤러리_외측부)
Gallery

연소부 덮개 (갤러리_외측부)
Gallery

불꽃분산 부품 (스프레더)
Flame spreader

연소부 받침대 (바스켓)
Burner basket

연소부 덮개 (갤러리_내측부)
Gallery

ALADDIN HEATER 연소부
공기 흐름도

알라딘난로 연소부 단면도 공기 흐름도 1.

스프레더와 바스켓에서 흘러나오는 공기가 심지의 빨간_불꽃을 양쪽에서 마주보며, 밀어 올려주는 역할을 한다. 이로인해, 심지에 붙어있던 빨간_불꽃이 공기흐름의 부양으로 살짝, 심지위에 뜨게되는 현상이 일어나며, 지속적으로 불꽃에 다량의 공기를 쏴주는 상황을 만들어, 불완전 연소가 아닌, 완전연소에 가까운 파란불꽃이 일어나게 된다.

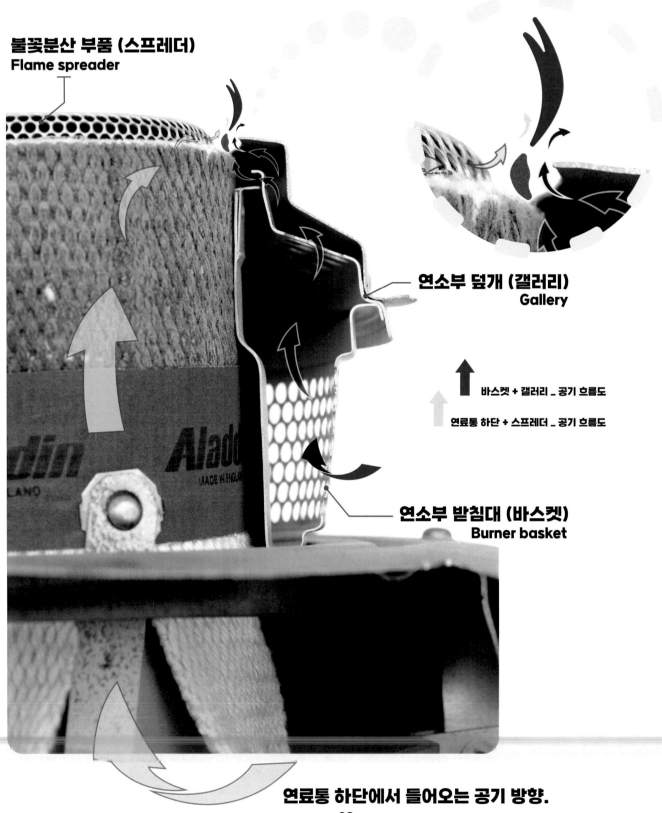

불꽃분산 부품 (스프레더)
Flame spreader

연소부 덮개 (갤러리)
Gallery

바스켓 + 갤러리 _ 공기 흐름도

연료통 하단 + 스프레더 _ 공기 흐름도

연소부 받침대 (바스켓)
Burner basket

연료통 하단에서 들어오는 공기 방향.

알라딘난로 연소부 단면도 공기 흐름도 2.

불꽃분산 부품 (스프레더)
Flame spreader

심지위로 붙은 2차 연소 불꽃 (파랑색)
심지에 붙은 1차 연소 불꽃 (빨강 & 노랑)

연소부 덮개 (갤러리)
Gallery

↑ 바스켓 + 갤러리 _ 공기 흐름도
↑ 연료통 하단 + 스프레더 _ 공기 흐름도

연소부 받침대 (바스켓)
Burner basket

QR 코드를 스캔하면, 갤러리 내 / 외
측부 덮개 제거 움직임을 볼 수 있다.

통풍제어장치 부품

통풍제어장치 부품

통풍제어장치

중앙 슬리브

통풍제어장치의 역할은 알라딘난로의 연료통 바닥인 중앙 슬리브 하단에서 올라오는 공기 흐름의 속도를 줄여주는 장치이다.   주위환경인 바람의 영향으로 파란 불꽃의 떨림을 줄여준다.

중앙 슬리브

알라딘 난로 연료통

공기흐름도

연료통 중앙 슬리브 부품

중앙슬리브 부품 1.

알라딘난로 연료통 중앙에 위치한 원통형 황동 재질 주요부품이다.

이부품의 역할은 심지가 상/하 이동하는 기둥라인이며, 연료통 하단에서 공기를 올려주는 통로 이기도 하다.

중앙 슬리브 부품
(Center Sleeve)

*(폴리싱 된 모습이다.)

중앙 슬리브 부품은 스프레더(공기 흐름컵)를 끼울 수 있도록, 상단부분은 2단 구조로 나눠져 있다. *[1950년대 이전 모델의 알라딘 난로에서는 중앙 슬리브가 통짜 구조의 형태도 존재한다.]

슬리브 상단 2단구조의 형태에, 상단부 슬리브 가장자리에 오랜부식으로 인해, 동재질의 크렉이 발생하여, 심지가 상단방향으로 이동을 할 수 없는 문제가 발생하기도 한다.

부품으로 적출한 중앙 슬리브 모습.
*(폴리싱 전 모습이다.)

중앙슬리브 부품 2.

50년 이전, 단종된 알라딘난로의 연료통 중앙 슬리브는 오랜시간 방치로 인한 찌든등유로 인해, 고착 상태를 보여준다.

오래된 심지를 제거한 후, 슬리브 상태의 모습을 보여주는 단편적인 이미지다.

심하게 고착된 심지를 제거한 후, 슬리브 상태체크가 수리 및 복원에 가장 중요한사항이기도 하다.

만약, 슬리브상단이나 몸통에 크렉과 부식이 있다면,다른 연료통에서 적출한 멀쩡한 슬리브 부품으로 대체해야만 한다.

고착되어 찔어있는
중앙 슬리브 모습.
(Center Sleeve)

중앙슬리브 부품 3.

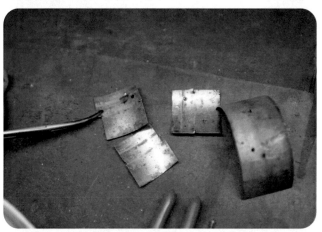

슬리브 상단 심지의 안쪽부분을 지지해주는 동재
질 띠가 크렉이 생겨 부셔지면, 슬리브 하단 원통
만 남게된다. 이상태로 심지를 끼우게 되면, 심지
부 상단에 공간이 생겨나, 스프레더 부품의 고정
이 불가능하여, 원할한 공기의 흐름을 만들 수 없
게 된다. 한마디로, 파란 불꽃을 생성 할 수 없다.

연료통 중앙 슬리브
크랙 수리

중앙슬리브 상단 수리작업 1.

슬리브 상단 심지의 안쪽 부분을 지지해 주는 동 재질 띠가 크렉이 생겨 부셔져버린 중앙 슬리브 상단에 슬리브 지름과 동일한 대체 원통을 준비하여, 외측부 면을 폴리싱 작업 후, 중앙 슬리부 상단에 끼워 넣는다.

중앙 슬리브 상단에 대체품원통을 심은 후, 바스켓을 끼워 넣어 돌려, 고정시킨다. 이후, 바스켓 상단 가이드 라인에 맞춰 중앙 슬리브에 끼워둔 원통에 가이드 라인의 높이와 동일한 마킹 라인을 그려 준다.

마킹 후, 다시 바스켓을 돌려 빼낸다. 이후, 중앙슬리브에 끼워둔 원통 마킹라인에 맞춰 함석 가위로 수평을 맞춰 잘라 내준다.

중앙슬리브 상단 수리작업 2.

중앙 슬리브 상단에 끼워둔 원통의 높이를 바스켓 가이드라인에 맞춰 잘라내었다면, 그다음 중앙슬리브에 끼운 원통을 고정시켜줘야 한다.

철판 센터펀치를 이용해서, 중앙 슬리브에 끼워둔 원통 하단을 펀치기로 슬리브 라인과 붙게 펀칭을 전체 둘레에 촘촘히 해준다.

중앙슬리브 상단에 끼워둔 원통 상단에 스프레더를 끼울차례다.

스프레더가 상당히 빡빡하게 끼워지는 현상을 없애기위해, 바스켓가이드라인에 맞춰 잘라낸면을 사포나 줄로 갈아내어 준다.

중앙 슬리브 상단 원통에 스프레더를 조심시럽게 끼워본 후, 스프레터 공기통로 구멍라인 하단까지만 끼워 맞춰 사용하면 된다.

스프레더가 안쪽 에서 고정이 안되는 상태이기에 항상 스프레더를 끼울 때는 공기통로 구멍 하단에 수평을 맞춰 끼워넣는 습관을 들어야 한다.
수평이 맞지 않으면 불꽃은 미세하게 떨림이 발생한다.

중앙슬리브 상단 수리작업 3.

크렉이 난 황동슬리브 상단부품을 대체한 원통에 심지를 조심스럽게 안착시킨 후, 다시 스프레더를 끼워넣는다.

스프레더의 수평을 맞추고, 공기통로 구멍 하단라인과 대체품인 철재질 원통 간격을 체크 후, 심지가 상 / 하 잘 올라오는지도 반드시 체크를 해본다.

대체품인 철재질 원통의 원크기(지름)가 중앙 슬리브통 지름보다 조금 작은 크기(지름)이기에 심지가 상 / 하 움직임시 턱진 곳없이 원할하게 잘 움직이는 모습을 관찰 할 수 있다.

대체품의 철 재질 원통은 스프레더의 끝단을 고정 시켜주는 내측 턱이진 곳이 없기에, 스프레더를 끼울 시, 항상 공기통로 구멍 하단라인과 수평을 맞춰줘야 하는 번거러움이 있다.

사실, 국내에는 알라딘난로 중앙슬리브 원통의 지름 (크기)과 동일한 크기의 기성품이 판매되지 않는다.
대체품인 원통의 정체를 다음 쳅터에 상세히 알려줄 예정이다.

연료통 중앙 슬리브
크렉 대체 부품

중앙슬리브 상단 수리작업

크렉이 난 황동슬리브 상단부품을 대체한 원통의 정체는 바로, 국내 '통조림' 중 '샘표' 김치찌개용 꽁치 통조림과 '유동' 번데기나 꼬막제품인, 진공포장된 통조림 깡통이 대체품 재료이다.

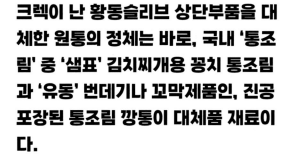

미세하게 크기(지름)가 조금 작다. 통조림의 상/하단을 함석가위로 잘라낸 후, 수평을 맞춰 중앙 슬리브에 끼워 넣는다.

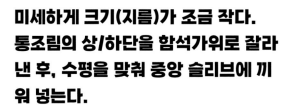

끼워넣은 통조림 통을 무작정 잘라내는게 아닌, 바스켓을 먼저 연료통 상단에 끼워 고정 시킨 후, 바스켓 가이드 라인과 동일한 높이를 마킹 후, 바스켓을 빼낸 다음, 높이에 맞게 잘라내면 된다.

그런 후, 스프레더가 잘 들어 갈 수 있게 날카롭게 절단된 통조림의 상단부를 갈아낸 후, 스프레더를 조심스럽게 끼워, 조율해서 안착 시켜보면 된다.

통조림의 외측 포장이미지는 4인치 그라인더에 수세미 날을 끼워 갈아내면 폴리싱 및 말끔히 표면이 정리된다.

심지에 등유가 적셔지면, 방청효과로 인해 녹이 쉽게 발생하지는 않는다.

연료통 중앙 슬리브 (구형) 부품

알라딘 난로 중앙 슬리브 구형 버전 소개 1.

1940년대 초~1950년대 초/중반 3인치 심지를 사용하는 알라딘난로 초기형 모델들의 특징이 중앙 슬리브 형태가 슬리브 상단부와 하단부로 나누어지지 않는 통짜 원기둥 형태를 보여준다.

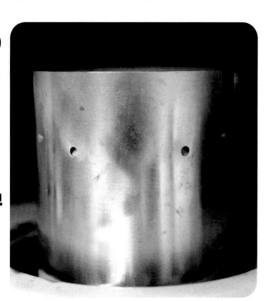

1950년대 후반~1970년대 초 / 중반인 마지막 생산 되어진 3인치 심지를 사용하는 알라딘 난로 1 5 형의 중앙 슬리브 형태가 슬리브 상단부와 하단부로 나누어진 원기둥 형태를 보여준다.

중앙 슬리브 형태가 통짜로 제작된 알라딘난로의 가장 대표적인 특징이 바로, 연료통 전체가 황동으로 제작 되어지는 시기인, 1938년부터 1950년 초반 버전들이 연료통 전체가 황동으로 제작되어진 사례다. 그당시 비철금속이 비싸지 않았기에 가능한 이유이기도 하다. 이후, 비철금속의 높은 단가로 결국, 원가절감을 하기위해 바닥은 부식에 잘 견디는 황동재질을 그대로 사용했고, 1950년대 이후, 연료통 상판부는 저렴한 철재질로 제작되어지기 시작한다.

알라딘 난로 중앙 슬리브 구형 버전 소개 2.

또다른 형태의 중앙슬리브 모습을 볼 수 있다. 전체가 통짜인 중앙슬리브 라인에 굴곡이 있는 모습의 중앙 슬리브이다. 이버전이 알라딘 난로 역사에서 보면, 알라딘 램프로 만든 2인치 심지 난로가 아닌, 3인치 심지로 만든, 난로 열량을 키운 첫번째 버전인 알라딘 난로의 조상격인 "알라딘 난로 8 시리즈"가 처음 탄생한다. 1938년 처음 발매된 알라딘 난로 8 시리즈의 연료통 라인의 모습이다. 연료통 전체가 황동이고, 핸드휠은 원형 스타일이며, 심지 결쇠의 구멍이 2단으로 높이조절이 가능한 형태다. 프레임은 상당히 두꺼운 철재질로 만들어졌다. 전체색상도 연통부 색은 비둘기색이며, 연료통 색상은 청색빛으로 투톤의 느낌이 강하다. 추후, 알라딘 난로 8 시리즈에 대한 자세한 내용은 '알라딘 난로 8 소개' 쳅터를 참고하면 된다.

프레임 & 갤러리 [구형] 구분 1.

알라딘 난로는 1950년대 기준으로 구형과 신형 버전으로 구분을 짓는다.

구별하는 방법은 프레임과 갤러리, 스프레더로 구별이 가능하다.

구형버전의 알라딘 난로 특징은 프레임 형태로 알 수 있다. 가로 프레임이 2단으로 두터운 철재질로 각 이음새 부분은 모두 용접으로 접합된 형태이다.
갤러리의 고정방식이 프레임 하단부에 끼워지는 형식이 아닌, 놓여져 있는 형태이며, 갤러리 가장자리 부분에 원형구멍으로 둘러져 있다. 재질은 약한 크롬도금이 된 황동재질이다. 스프레더는 스프레더 중앙에 평평한 구조에 작은 구멍이 3개가 뚫여있는 형태이다.

프레임 & 갤러리 [구형] 구분 2.

장식마개 부품　　　볼트체결 브라켓

구형방식의 알라딘 난로 갤러리 모습이다.
(원상태는 크롬으로 코팅된 상태인데, 샌딩으로 벗겨놓은 현 모습이다.)

구형프레임 상단에는 크롬 장식마개 부품(샌딩으로 벗겨낸 현모습.)이 있고, 하단 갤러리와 연통부를 고정하는 볼트체결 브라켓 방식이 특징이다.

연통부를 여닫는 걸쇠 형태도 하단에 걸쇠가 걸리는 방식으로 상단 프레임을 열어서 옆으로 눕히고 불을 붙이는 작업을 진행할때, 갈고리처럼 생긴 부분의 힌지를 손으로 열고 여닫아야 한다.

구형방식 갤러러(크롬 도금)　　　　　　볼트체결 브라켓

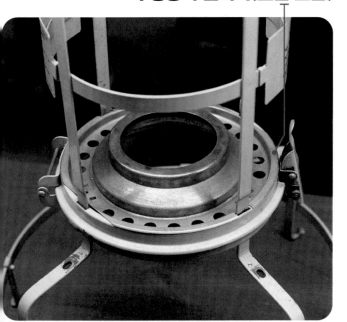

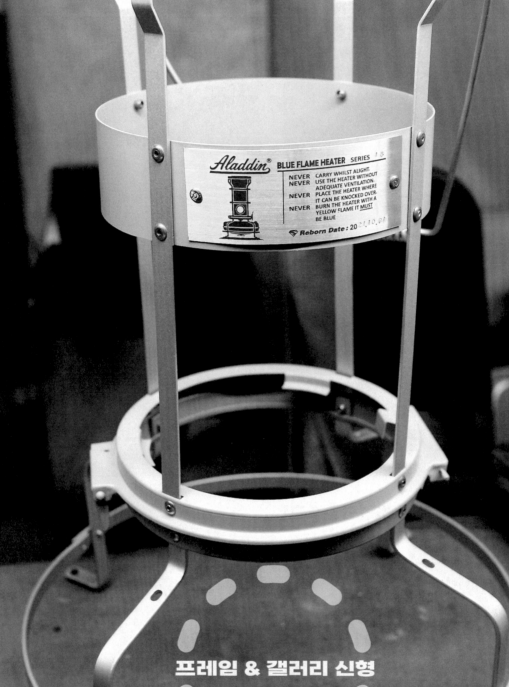

프레임 & 갤러리 신형

프레임 & 갤러리 [신형] 구분 1.

1960년대 들어서면서 알라딘 난로 신형버전으로 알라딘 난로15형 시리즈로 불려진다.

구별하는 방법은 프레임과 갤러리,스프레더,8각 핸드휠로 구별이 가능하다.

신형버전의 알라딘 난로 특징은 프레임 형태로 알 수 있다. 가로 프레임은 1단 형태의 얇은 철재질로 둘러져 있고, 각 이음새 부분은 모두 리벳 (알루미늄) 방식으로 접합된 형태이다. 갤러리의 고정방식이 프레임 하단부에 끼워지는 형식이고, 갤러리 상단부는 단순화된 덮개 형태에 철재질이다. 스프레더는 중앙에 움푹 파인 모습과 구멍이 크게 1개가 뚫여 있는 형태이다.

프레임 & 갤러리 [신형] 구분 2.

신형버전의 알라딘 난로의 갤러리 모습이다.(갤러리 외측부와 내측부 모습.)

프레임 두께는 구형보다 얇아진 철재질에 크롬도금(60년대 초기버전) 과 아연도금(70년대 버전) 방식으로 2종류이다. 프레임은 모두 리벳팅으로 체결 되어 있어, 오랜시간 사용이나 충격이 가해지면 리벳이 터져 나가기도 한다. 프레임 중, 크롬도금(60년대 초기버전)은 가로 프레임에 황동 명판이 붙어 있고, 명판 문구에는 사용 시 주의사항이 기재되어 있다.

반면, 아연도금(70년대 버전)은 가로 프레임에 황동명판이 아닌, 투명비닐 스티커가 붙어 있는 것을 확인할 수 있다. 동일하게 명판 문구는 사용 시 주의사항이 기재되어 있고, 원가절감이 확연히 이루어진 모습이다.

핸드휠 시대별 구분

핸드휠 [구형] 구분 1.

**1938년 ~ 1940년 초반
알라딘 난로 8 전기형.**

3인치 심지를 사용하는 최
초의 파란불빛 8시리즈의
핸드휠 명판이다.
1 인치 심지를 쓰는 알라딘
램프 핸드휠의특허넘버가
적힌 숫자가 특징이다.

**1940년 ~ 1940년 후반
알라딘 난로 8 후기형.**

알라딘 난로 8시리즈의 후
기형 난로의 명판이다.
초기형 8시리즈의 모습보
다는 옥색에 가까운 색상
과 8시리즈 초기 타각마킹
이 없는 모습을 볼 수 있다.

**1950년 ~ 1960년 초반
알라딘 난로 H2201.**

알라딘 난로의 부흥기다.
아시아, 중동, 남미, 북미,
등 본격적인 판매로 전세
계 20여 개국 현지 공장
생산 체계 방식.

**1960년 ~ 1970년 초반
알라딘 IRAN(이란제).**

알라딘 난로중, 후기형 난
로인 이란제 핸드휠 명판.
구형/신형의 두가지 형태
가 뒤섞인 모습으로, 신형
난로 시대에 부품 조달이
원할하지 않았던 현상으
로 보여진다.

핸드휠 [구형] 구분 2.

50년대 이전 알라딘 난로 초기형 모델들의 구분 중, 원형 핸드휠을 확인하는게 가장 빠른 방법이다. 원형 핸드휠은 핸드휠 상판 원형 뚜껑을 프레스로 압착 후, 헛돌지 않게 납용접으로 한곳을 붙여놓은 형태로 분해 및 정비가 어려운 구조로 조립이 되어있다.

핸드휠을 지지해주는 아래부분을 봐보면, 짧은 목대의 모습이 특징적이다.
신형 핸드휠 목대는 거의 2배정도의 길이로 연료통 상단부에 올라와 있는 모습은 다음 쳅터에서 볼 수 있다.

또다른 특징은 원형 핸드휠 가장자리를 자세히 보면, 그립감을 높이기위해, 동전의 세로 패턴 형식의 패턴그립이 촘촘히 프레스 가공된 모습이 보여진다.

핸드휠 [신형] 구분 1.

알라딘 난로 15형의 신형버전 구분으로 가장 쉬운방법이 8각 핸드휠로 쉽게 구별이 가능하다. 1960년대 기점으로 구분된 이후, 1970년대까지 생산 되었고, 역사속으로 사라진 영국제 알라딘 난로의 마지막 핸드휠 형태이기도 하다.

그 당시, 크롬도금 기술이 별로 였는지, 쉽게 벗겨짐이 일어나고, 크롬부식 진행이 심한상태의 알라딘 난로15형이 대부분이다.

크롬을 벗겨내면, 내측부는 황동재질로 되어있고, 구형에 비해 핸드휠 상판부분을 분해 할 수 있는 구조이다. 8각형태의 각각의 면을 구부려 고정시켰기 때문에 구부러진 면을 조심스럽게 펴내면, 상판 뚜껑을 분리 할 수 있다. 납이나 기타 용접등으로 접합된 부분이 없는 이유이기도 하다.

핸드휠 [신형] 구분 2.

8각 핸드휠 뚜껑을 열게 되면, 일자 볼트 머리가 보인다. 이 볼트가 심지를 상/하 움직여 주는 지 렛대 뭉치의 상/하 범위를 제한 해주는 볼트이다.

핸드휠 안쪽 8각 접시형태의 내측부 부품은 납으로 용접되어 있는데, 지나친 힘이나 어떠한 물리 적은 문제로 떨어져 나가기도 한다.

핸드휠을 지지해주는 아래 목대의 길이를 봐보면, 구형방식의 목대보다 확연히 긴 형태를 볼 수 있다. 알라딘 난로 8시리즈에 비하면 두배 정도 긴 목대형태이다.

유량게이지 시대별 구분

유량계 [구형] 구분 1.

1930년대 적용된 유량계 모습이다.

FULL, 3/4, HALF, 1/4, 0, 코르크 덩어리가 달린 부표형 유량계이다.

표시창 외, 주변부가 금속으로 된 덮개가 특징이다.

알라딘 난로 8 시리즈에 적용된 유량계이다.

1940년대 적용된 유량계 모습이다.

'BULLSEYE FUEL GAUGE' 커다란 황소의 눈이 움직일때 보이는 눈동자를 모티브로 만든 코르크 덩어리가 달린 부표형 유량계이다. 표시창외 색상이 녹회색, 녹색 계열이다.

적용된 알라딘 난로 모델은 H2201, H2203 이다.

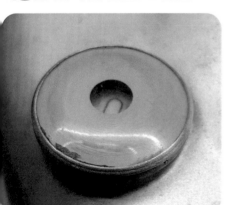

1950년대 적용된 유량계 모습이다.

'BULLSEYE FUEL GAUGE' 커다란 황소의 눈이 움직일때 보이는 눈동자를 모티브로 만든 코르크 덩어리가 달린 부표형 유량계이다. 표시창외 색상이 회색 계열이다.

적용된 알라딘 난로 모델은 H42201 ~ H42205, IR 이다.

유량계 [구형] 구분 2.

1960년대 적용된 유량계 모습이다.

'BULLSEYE FUEL GAUGE' 커다란 황소의 눈이 움직일때 보이는 눈동자를 모티브로 만든 코르크 덩어리가 달린 부표형 유량계이다. 표시창외 색상이 고동색 계열이다.

적용된 알라딘 난로 모델은 H42201 ~ H42205 이다.

1940년 ~ 1960년대 적용된 유량계 내측부 부품들 구성과 표시창의 눈금표 이미지를 볼 수 있다.

황동재질로 프레스가공된 외형이며, 등유에 뜰수있게 코르재질의 마개가 끝단에 붙어있다.

유량계 [신형] 구분 1.

1960년대 적용된 유량계 모습이다.
F ~ E 사이를 빨강마킹된 삼각 화살표가 등유량을 표시하는 코르크 덩어리가 달른 부표형 유량
계이다. 초기형은 알루미늄의 금속형 하우징으로 만들어졌고, 후기형은 플라스틱 하우징으로 만
들어졌다. 적용된 알라딘 난로 모델은 P150051, P150056, 25형, 32형, 37형 이다.

구형번전의 유량계에 비하면 보다 단순해졌고,
하우징 재질이 원가절감으로 비철금속이나 알
루미늄에서 플라스틱 사출로 찍어낸 프레임을
적용했다.

끝단에는 등유에 뜰수 있도록 코르크 덩어리가
끼워져 있는 방식이다.

F ~ E 표시계 부품과 하우징 부품은 분리형 2
단 구조의 모습이다.

유량계 [신형] 구분 2.

1960년대 후반 ~ 1970년대 초반 적용된 유량계 모습이다.
OPTICAL 유량계로, 각각의 길이가 다른 투명 플라스틱 막대끝에 유체(등유)가 닿으면 연료통
내부의 암흑(어두운)을 비추이는 방식으로 보여지는 유량이다.
적용된 알라딘 난로 모델은 15형, 25형, 32형, 37형, 이란제 알라딘 난로에 적용된다.

OPTICAL 유량계중 F, 2/3, 1/3, E로 4개의 각진 투명막대가 끼워져 있는 특징이 있는 이란제
알라딘 난로의 모습을 볼 수 있다.

 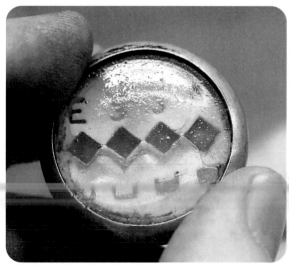

유량계 [신형] 구분 3.

1960년대 후반 ~ 1970년대 초반 적용된 유량계 모습이다.

OPTICAL 유량계로, 각각의 길이가 다른 투명 플라스틱 막대끝에 유체(등유)가 닿으면 연료통 내부의 암흑(어두운)을 비추이는 방식으로 보여지는 유량이다.

적용된 알라딘 난로 모델은 15형, 25형, 32형, 37형, 이란제 알라딘 난로에 적용된다.

OPTICAL 유량계 방식의 표준을 보여주는 1960년대 후반 ~ 1970년대 초반 마지막 영국제 알라딘 난로 15형에 적용된, 각각 길이가 다른 3개의 원형기둥에 원뿔형태의 투명막대가 끼워져 있는 형태를 볼 수 있다. 유량계 표식은 하얀색 연질 플라스틱 재질로 F, 1/2, E 로 표시된다.

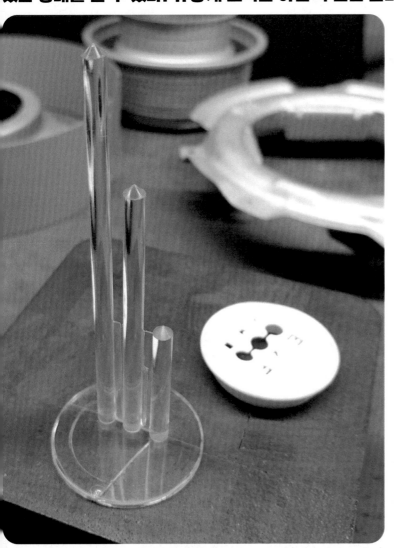 

FOR ECONOMY AND EFFICIENCY

ALWAYS USE

Aladdin

PINK

PARAFFIN

연료마개 구분 1.

 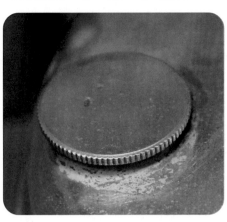 

알라딘 난로 연료마개 시대별 구분을 정리해본다. 1930년대 후반 ~ 1940년대 중반정도의 모델에서 볼 수 있는 연료마개이다. 얇은 두께의 황동재질을 프레스 성형으로 만들어진 것도 있고, 통황동 뭉치를 깎아서 만든 상당히 묵직한 연료마개도 있다. 대체적으로 크롬도금이 입혀져 있다.

1950년대 ~ 1960년대의 알라딘 난로 연료통에 적용된 대표적인 연료마개로 보여진다.

'PINK - PARAFFIN' 1953년도 쯤 알라딘 난로전용 등유(파리핀) 제조 & 판매를 했던 브랜드 명이다.

1960년대 이후, 알라딘 난로는 신형버전인 15형 시리즈로 구분되어지는데, 수출하는 각 국가별로 자체생산 방식을 체택한다. 각각의 OEM 공장의 특징에 따라, 여러가지 형태의 연료마개가 나오게되는 시기다.

연료마개의 안쪽에 분실을 막기위한 연장 와이어(사슬체인)가 달려있는 모습이다.

연료마개 구분 2.

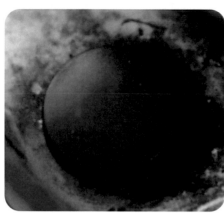

알라딘 난로 연료마개 중, 금속이 아닌, 플라스틱 재질의 마개도 있다. 유일하게 이란에서 만들어진 알라딘 난로의 특징이기도 하다. 이란제 알라딘 난로의 또다른 특징은 유량계 표시마크의 눈금판이 4개로 나눠져 있다.

연료통 마개 중, 내측부에 분실방지 와이어(사슬체인)가 붙어있는 방식과 연료마개 외부 상단에 와이어(사슬체인)가 붙어있는것을 볼 수 있다. 내측부는 묵직한 무개추가 달려 있는데, 이유는 체결 시, 묵직함을 이용해 돌려 닫을 수 있는것과 연료

마개가 쉽게 열리지 않도록 하기위함이다. 와이어(사슬체인)방식의 제조는 일본OEM 생산공장의 특징이기도 하다.

1960년대 ~ 1970년대 후반 발매된 알라딘 난로 15형에서 보여주는 표준 연료통 마개이다.
단순한 구조와 내측부에 연료가 세어나오지 않도록 고무바킹이 끼워져 있다.

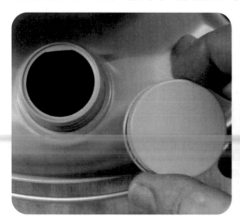

ALADDIN BLUE FLAME HEATER
SERIES 39 (알라딘난로 39 시리즈)

상판(후드)
Top cover

상부 프레임
Top frame

운모창
Mica

운모창 프레임
Frame and screws for mica

유량계
Oil gauge

연료통 고정 나사
dome nut

심지조절 손잡이
Handwheel

난로 바닥판
Base plate

난로 보호망
Guard Net

난로 이동손잡이
Handle

걸쇠
Release clip

연료통
Tank

소화안정장치
Fire Safety Device

하부 프레임
Bottom frame

알라딘난로 39형 연료통 내부 구조도 .

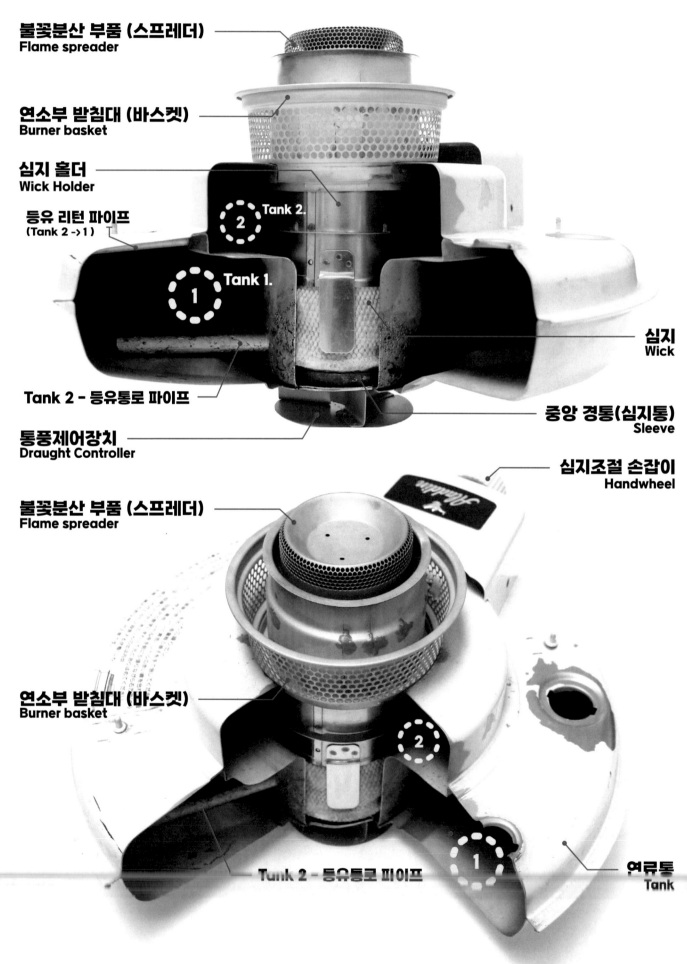

불꽃분산 부품 (스프레더)
Flame spreader

연소부 받침대 (바스켓)
Burner basket

심지 홀더
Wick Holder

등유 리턴 파이프
(Tank 2 ->1)

Tank 2.

Tank 1.

심지
Wick

Tank 2 - 등유통로 파이프

중앙 경통(심지통)
Sleeve

통풍제어장치
Draught Controller

심지조절 손잡이
Handwheel

불꽃분산 부품 (스프레더)
Flame spreader

연소부 받침대 (바스켓)
Burner basket

Tank 2 - 등유통로 파이프

연료통
Tank

알라딘39형 연료통 내부 심지 이동방식.

핸드휠을 시계 반대방향으로
돌리면 심지가 내려간다.

핸드휠을 시계방향으로
돌리면 심지가 올라간다.

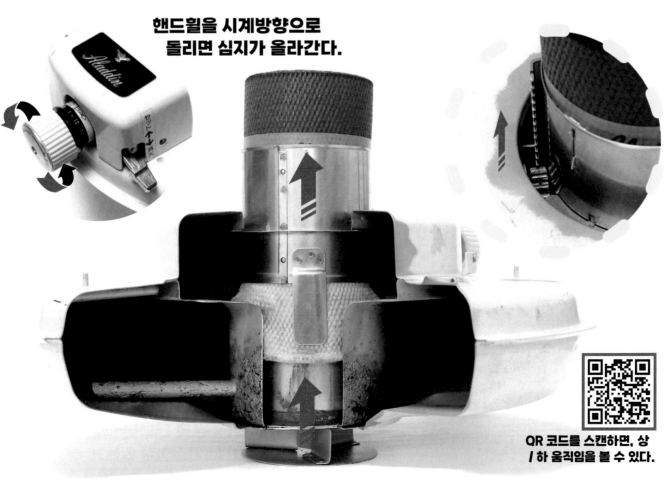

QR 코드를 스캔하면, 상
/ 하 움직임을 볼 수 있다.

알라딘39형 연료통 내부 등유 이동경로.

알라딘난로 39형 연료통은 2중 구조방식의 탱크(tank)로 이루어져 있다.
그이유는 지진으로 인해 난로가 옆으로 쓰러졌을 시, 연료통 내부에 담겨있는 등유가 밖으로
쏟아지지 않도록, 2차 탱크의 리턴 파이프를 통해, 다시금 1차 탱크 안으로 등유가 되돌아가
는 구조로 만들어 졌다.

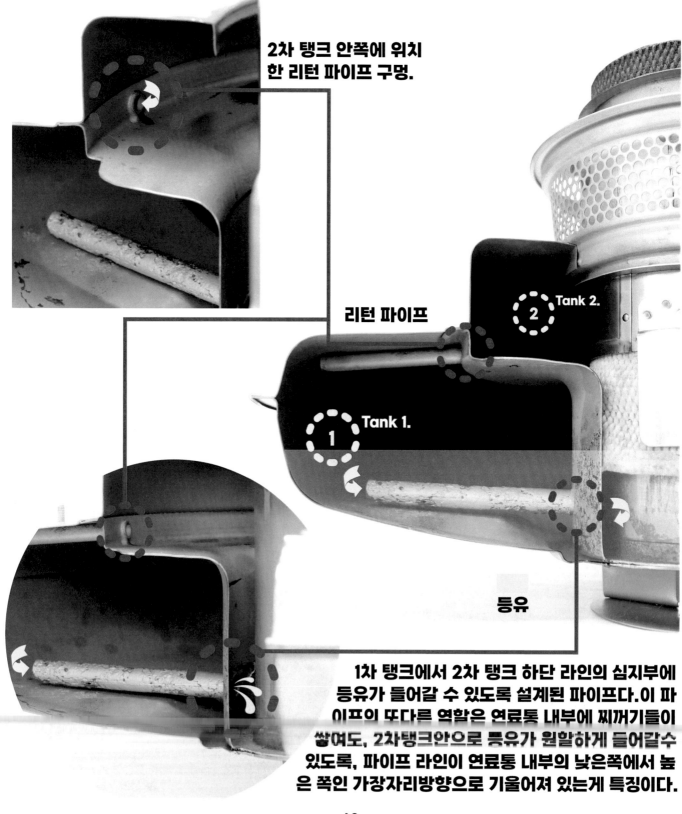

2차 탱크 안쪽에 위치
한 리턴 파이프 구멍.

리턴 파이프

Tank 2.

2

Tank 1.

1

등유

1차 탱크에서 2차 탱크 하단 라인의 심지부에
등유가 들어갈 수 있도록 설계된 파이프다.이 파
이프의 또다른 역할은 연료통 내부에 찌꺼기들이
쌓여도, 2차탱크안으로 등유가 원활하게 들어갈수
있도록, 파이프 라인이 연료통 내부의 낮은쪽에서 높
은 쪽인 가장자리방향으로 기울어져 있는게 특징이다.

알라딘39형 연료통 내부 탱크 1,2 구조도.

알라딘 39형 연료통 특성상, 이물질과 슬러지가 들어가면, 빼낼 수 없는 구조여서, 정비성이 떨어지며, 자칫 이물질과 슬러지로 인해 연료통 바닥에 녹과 부식이 일어날 수 있는 단점이 있다.

심지 하단부가 등유에 적셔지는 공간.

알라딘39형 핸드휠 부품 설명도.

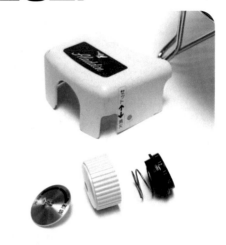

핸드휠 뭉치 및 커버(덮개)
핸드휠 커버 내측부 부품들

핸드휠 후미, 텐션 다이얼 구조
스프링 텐션 장치(지진대비)

핸드휠 내측부 스프링 다이얼

알라딘 난로 39형 시리즈는 일본에서 디자인 및 제작 된 현대식 버전으로, 지진 국가에 등유 난로를 안전하게 사용할 수 있도록 설계되어 있는게 특징이다.

난로의 핸드휠은 연료통 정중앙에 위치해 있으며, 심지를 상/하 올리고, 내리는 핸드휠 방식에, 심지홀더를 삽입하여, 알라딘난로가 진동이나 충격에 넘어졌을 시, 심지뭉치홀더가 자동으로 하강되는 구조로 만들어져 있다.

핸드휠 부품을 면밀히 관찰할 수 있다. 핸드휠 뒷편 텐션을 잡아주는 스프링단 과 연료통 내측부로 들어가는 심대와 직접적으로 심지 및 심지홀더를 상/하 움직여 주는 톱니기어 모습이다.

알라딘난로 39형 지진대비 소화장치 작동방법 1.

심지 높이를 조절하는 핸드휠 옆에는 알라딘39형 난로가 지진등으로 쓰러지거나 진동을 느꼈을 시, 작동하는 자동소화장치가 달려있다.

자동소화장치를 작동하는 첫번째 방법은 오른쪽 하단에 레버를 올려준다. 이후, 노랑다이얼의 중앙 화살표 위치를 시계방향이나, 반시계방향으로 돌려 끼워 고정시키면, 자동소화장치의 장력을 조절하여, 소화장치의 민감도를 조정할 수 있다.

* 핸드휠 검정다이얼과 노랑다이얼은 심지의 높낮이를 제한적으로 고정시키는 역할도 하기에, 간혹 심지의 높이여유를 올려주는 역할로 착각하는 사용자분들이 많다.

검정다이얼 숫자 1 ~ 12 는 심지 높이조절단계 라고 보면 된다. 예를 들어, 숫자 1 이 센터에 놓여지면, 심지는 맨, 하단에 위치한 상태다. 즉, 소화상태다, (불이 꺼진 상태).

핸드휠을 시계방향으로 돌리면, 숫자는 1 에서 2, 3, 4, 5... 12까지 돌아간다. 이와함께, 심지는 상단으로 수직 상승하며, 올라가는 단계를 밟는다.

알라딘난로 39형 지진대비 소화장치 작동방법 2.

검정다이얼에 맞물려, 함께 돌아가는 노랑다이얼은 지진대비장치(강제로 리턴 및 소화작동)를 가동 시키는 스프링 텐션의 장력 (힘)을 조절해 주는 역할을 한다. 노랑다이얼 센터에는 적색 화살표가 표시 되어 있다. 화살표 위치를 검정다이얼 숫자(1~12)를 중, 시계반대방향으로 돌려 고정시키면, 자동소화장치의 스프링 장력이 약해진다. 즉, 자동소화작동이 느슨해져서, 심지가 하단으로 리턴되는 힘이 약해진다. 반면, 노랑다이얼 화살표 위치를 시계방향으로 돌려 고정시키면, 자동소화장치의 스프링 장력이 아주, 쎄게 고정 된다. 즉, 자동소화장치가 빠르게 작동되어, 심지를 순식간에 소화방향인 하단으로 빠르게 수직 하강 시켜준다. (작은 충격에도 민감하게 소화장치가 빠르게 작동 한다.)

노랑다이얼의 지진대비장치(강제로 리턴 및 소화작동)를 가동 시키는 스프링 장력(힘)범위의 최소점과 최대점 구간 라인을 빨간점(스프링 텐션 강/약 구간)으로 표시 및 볼 수 있다.

노랑다이얼이 움직이는 범위를 부품내측부의 구간과 빨간점 표식으로 볼 수 있다.

알라딘난로 39형 지진대비 소화장치 작동방법 3.

검정다이얼과 노랑다이얼이 겹쳐지는 각각의 구멍과 돌기를 볼 수 있다.
검정다이얼은 구멍이 나있고, 노랑다이얼은 돌기가 튀어나와 있다. 이 두곳이 맞물려, 스프링
의 텐션과 심지의 상/하 움직이는 구간을 조절해주는 역할을 한다.

검정다이얼과 노랑다이얼이 겹쳐지는 틈사이의 모습이다.
각각의 다이얼이 시계방향과 시계 반대방향으로 돌려진 후, 서로 맞물려 스프링 간격과 장력
구간의 범위를 조절한다.

ALADDIN 39형 심지 하단
슬러지 청소

알라딘 39형 연료통 심지 하단부 청소 1.

알라딘 난로 39형 시리즈의 기본 청소하는 방법을 보여준다.

39형 난로의 심지를 갈거나, 빼낼 때 꼭! 아니, 반드시 닦아줘야 하는 부분의 위치다.

중앙슬리브에서 심지홀더를 빼내면, 심지의 하단 즉, 등유가 적셔져 올라오는 첫번째 시작점이다.
이부분의 슬러지의 모습인데, 무조건 슬러지를 털어내 줘야한다.

앞서, 중앙슬리브에서 심지홀더를 빼내면, 연료통 슬리브 사이, 틈새를 볼 수 있다. 틈새의 바닥부분을 봐 보면,

카본 슬러지가 등유와 섞여, 침전되어진 모습이 보일거다.

메인 통에서 틈새 사이로 등유가 이동하는 통로 구멍.

알라딘 난로 39형 연료통은 2중 구조의 형태로, 메인인 넓은통에서 슬리브 좁은 틈사이로 등유가 이동을 한다.

이러한 카본 슬러지가 쌓이게 되면서, 기존 등유에 섞여 변질을 촉진 시키는 매개체가 된다.

중앙 슬리브 틈사이에는 먼지나 찌거및 심지 카본 슬러지가 절대로 들어가게 해서는 안되다.

오랜시간 사용하고, 기본점검 없이 보관 및 방치를 하게되면 쌓여있던 카본 슬러지로 인해 등유 색상이 탁해지고, 등유성분도 변질되어 간다.

알라딘 39형 연료통 심지 하단부 청소 2.

중앙 슬리브 틈새사이를 핀셋으로 닦아낸 모습이다. 이렇게 닦아내기 전, 연료통의 등유는 최대한 비워내야 한다.

연료통의 등유를 비워내지 않고, 닦기에는 중앙 슬리브 틈새 사이에 등유가 지속적으로 들어 오기에, 카본 슬러지를 닦아내기 어려운 상황이 발생한다.

깨끗히 닦아낸 중앙슬리브 사이의 틈새 모습이다.

이렇게 닦아내야 하단에 쌓이는 카본 슬러지도 없지만, 알라딘난로 39형은 연료통 재질이 모두 철재질로, 오랜방치시, 녹이 발생하여 부식이 일어난다.

부식이 시작되면, 걷잡을 수 없이 번지는 상황이 오기에, 반드시 중앙슬리브 틈새 사이를 항상 깨끗하게 유지하는 습관을 들여야 한다.

부식으로 인한 중앙 슬리브 틈새 사이에 구멍과 녹이 발생한 모습이다.

연료통 안쪽에서 중앙 슬리브쪽을 바라본 모습(하단 양쪽 이미지).

부식과 구멍이 심하게 나서, 내측부중앙 슬리브 틈새에 빛이 들어와 보이는 모습까지 보여진다.

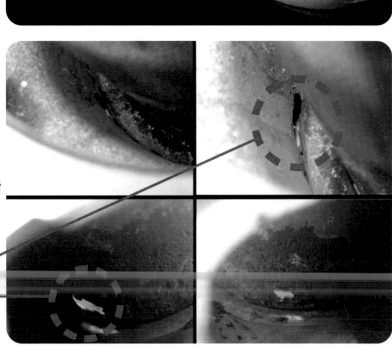

부식으로 인한 구멍난 연료통
내/외측 모습을 볼 수 있다.

ALADDIN BLUE FLAME HEATER
SERIES 16, 25, 32, 37시리즈.

상판(후드)
Top cover

상판 후드 고정 보일링
Boiling ring

난로 이동손잡이
Handle

상부 프레임
Top frame

명판
Nameplate

운모창 프레임
Frame and screws for mica

운모창
Mica

걸쇠
Release clip

유량계
Oil gauge

유량계 마개
Oil gauge cap

연료통 고정 나사
dome nut

연료통 마개
Oil tank cap

심지조절 손잡이
Handwheel

연료통
Tank

하부 프레임
Bottom frame

난로 바닥판
Base plate

고정 브라켓
Bracket

알라딘난로 16, 25, 32, 37형 연료통 내부 구조도 .

불꽃분산 부품 (스프레더)
Flame spreader

연소부 받침대 (바스켓)
Burner basket

심지 홀더
Wick Holder

Tank 2.

②

① Tank 1.

Tank 2 - 등유통로 구멍
〈Tank 1 -> 2〉

통풍제어장치
Draught Controller

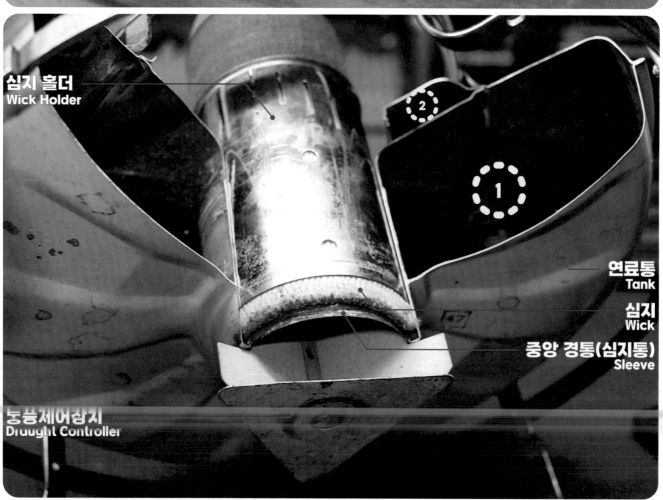

심지 홀더
Wick Holder

②

①

연료통
Tank

심지
Wick

중앙 경통(심지통)
Sleeve

통풍제어장치
Draught Controller

알라딘 16,25,32,37형 연료통 내부 심지 이동방식.

핸드휠을 시계 반대방향으로
돌리면 심지가 내려간다.

핸드휠을 시계방향으로
돌리면 심지가 올라간다.

QR 코드를 스캔하면, 상
/ 하 움직임을 볼 수 있다.

알라딘 16, 25, 32, 37형 연료통 내부 등유 이동경로.

알라딘난로 16, 32, 37형 연료통은 2중 구조방식의 탱크(tank)로 이루어져 있다.
그 이유는 지진으로 인해 난로가 옆으로 쓰러졌을 시, 연료통 내부에 담겨있는 등유가 밖
으로 쏟아지지 않고, 2차 탱크 공간에 등유(심지부쪽)가 갇혀있게 하는 구조로 만들어졌다.

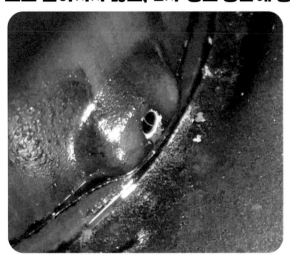 

* 알라딘난로 16, 32, 37형 연료통의 2중 구조방식은 치명적인 단점이 있다.
  연료통 내부에 불순물이나 슬러지, 오래된 등유찌꺼기등이 쌓이면, 1차에서
  2차 탱크 공간으로 등유가 흘러 들어가는 구멍이 막히는 현상이 발생 한다.
  이러한 문제점인, 막힘현상으로 심지부에 원활하게 등유가 적셔지
  지 않아, 면심지 상단부만 검게 타버리게 된다.

1차 탱크에서 등유가 들어가는 구멍이다.
중앙슬리브 위치인, 심지부(2차 탱크
라인) 하단으로 등유가 들어간다.

연료통 1차 탱크 중앙 하단에 볼
록한 타원형에 작은구멍이 있다.
이 구멍으로 2차 탱크 하단 라인
의 심지부에 등유가 들어갈 수 있
도록 설계되어 있다.

중앙슬리브 하단의 심지끝자락
부 틈사이의 구멍 (등유가 들어
오는 통로)을 단면도 상으로 보
여주는 모습이다.

알라딘 16,25,32,37형 연료통 내부 탱크 1,2 구조도.

알라딘 16,32,37형 연료통 특성상, 이물질과 슬러지가 들어가면, 빼낼 수 없는 구조여서, 정비성이 떨어지며, 자칫 이물질과 슬러지로 인해 연료통 사이, 등유가 원활하게 이동을 못하고 막히는 현상이 있어나는게 큰단점으로 추후, 모델들은 이러한 단점을 보완해서 생산 된다.

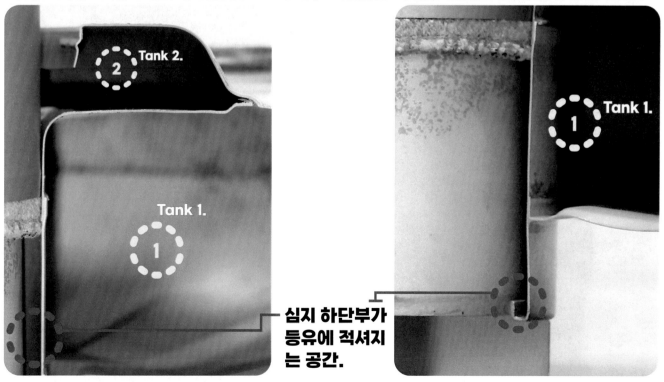

심지 하단부가 등유에 젹셔지는 공간.

심지 고착 & 제거 작업과정
32형, 37형

알라딘 16,25,32,37형 심지고착 문제점 1.

알라딘 난로 중, 16, 25, 37 시리즈는 모두, 지진대비 자동소화장치가 달려있는 모델들이다. 이 모델들은 치명적인 문제점이 있다. 지진과 충격에 난로가 넘어졌을 시, 등유가 세어나오지 못하도록 연료통이 이중구조이며, 중앙 슬리브에 심지와 심지홀더가 끼워져 연료통 이중구조 안쪽으로 내려가는 형식이다. 그러나, 이중구조 공간이 매우 협소해서 심지가 빡빡하게 껴서, 잘 빠지지않은 상황이 연속적으로 발생한다. 특히나, 난로를 보관하는 시즌에는 핸드휠로 심지를 자주 상 / 하 작동을 해줘야 하는데, 그렇치않으면, 이중구조의 좁은 벽면과 변질된 등유에 쩔어있는 심지가 고착되 버리는 현상이 발생한다.

중앙슬리브 하단을 절단한 모습. 심지 홀더와 슬리브에 고착된 심지 상태다.

중앙슬리브 하단부를 절단해서 빼낸 후, 연료통 이중구조 부분을 한 눈에 볼 수 있는 모습이다.

연료통 하단부 절단면에 심지 끝단이 고착되어, 달라붙어있었던 흔적을 고스란히 보여주는 모습이다.

알라딘 16,25,32,37형 심지고착 문제점 2.

연료통 하단부 절단면에 심지 끝단이 고착되어, 달라붙어있던 흔적을 좀더, 확대해서 보여준 모습이다.

등유가 이동하는 구멍이다.오랜된 등유찌꺼기가 고착되어 등유가 통과하는 구멍이 막혀버린 상태다.

절단한 슬리브에 심지 홀더와 고착된 심지를 떼어내는 모습이다. 심지 홀더로 인해, 심지제거가 어렵다.

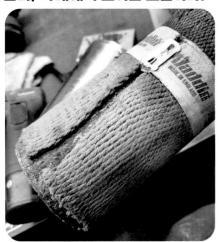

연료통 중앙슬리브를 절단해서 빼낸 후, 심지 홀더까지 제거하면, 고착된 심지를 볼 수 있다. 알라딘난로 16, 25, 32, 37 시리즈들은 이러한 치명적인 문제점으로 10대 중, 복원 및 정비로 살려낼 수 있는 대수는 약 10% 도 체 되지 않는다. 윗 시리즈들은 지속적인 관리 및 보관이 필요한 단점과 핸드휠과 톱니가 약해서, 핸드휠이 부러지거나 심지홀더를 상/하 움직여주는 톱니의 이빨이 깨지거나 부서지는 치명적인 단점이 있다. 대부분의 윗 시리즈는 알라딘 난로 15형 복원을 위한 여분의 부품용으로 사용이 된다. 나머지 부품들은 알라딘 난로 15형과 동일한 규격과 사이즈로 바스켓, 스프레더, 갤러리등이 모두 호환이 가능하다.

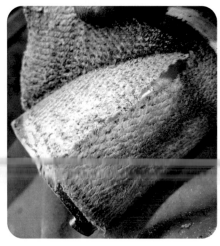

연통부 지진대비 장치 부품
16, 25, 32, 37
38형

알라딘 16,25,32,37형 연통부 지진대비 장치 소개 1.

지진대비 소화장치가 달려있는 알라딘 난로 16,25,32,37 시리즈의 연통부 구조도를 봐본다. 지진이나 흔들림, 충격등에 화구를 덮어버리는 상단 마개가 미세한 진동에도 무게 추가 떨어져, 덮개가 하단방향으로 닫히는 구조다. 결론적으로, 화구부의 불을 강제로 소화시켜버리는 기능이 주된 목적이며, 치명적인 단점은 다듬어 놓은 심지 상단부를 엉망으로 만들어 버린다.

무게추 모습.

무게 추가 쓰러지면, 지렛대 원리로 하단부 덮개 가 아래로 떨어져, 화구부의 불꽃을 강제로 덮어,꺼버린다.

지렛대 걸쇠 부품 모습.

화구부 덮개 모습.

알라딘 25형 연통부 지진대비 장치 소개 2.

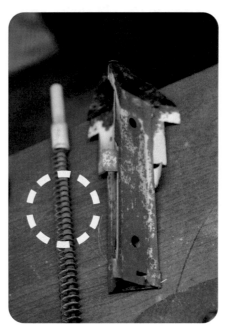

특이한 구조의 지진대
비 소화장치 부품들 모습.

지진대비 소화장치가 달려있는 알라딘
난로 중, 25시리즈의 장치는 조금 특이
한 구조를 보여준다. 흔하게 보여지는
구조가 아닌, 연료통 중앙 슬리브 안쪽
에 숨겨진 스프링구조의 부품이 바닥에
눌러 붙어 있다가, 연료통이 흔들리거나
쓰러지면 자동으로 화구 덮개를 내려오
게 하는 방식으로 자동소화시키는 이다.

중앙슬리브 하단에 끼워져, 통풍제어장치 부
품 역할까지 동시에 기능을 갖는 지진대비 소
화장치의 모습이다.

알라딘 38형 연통부 지진대비 장치 소개 3.

좀더, 특이한 지진대비 소화장치 모습을 갖은 알라딘난로 38시리즈다. 1975년생산되어, 3년 후인 1977년에 단종된 비운(?)의 모델이다. 단종된 이유는, 1978년도에 현재의 일본제 알라딘 난로인 39형으로 업그레이 된 모델이 나왔기 때문이다. 거추장스럽고, 단점이 많았던 옛방식의 충격 및 지진대비 소화 장치를 개량해서, 현재까지도 사용 되어져 오고 있지만, 역시나 약간의 단점이 존재하는게 아쉬움이 남아있다.

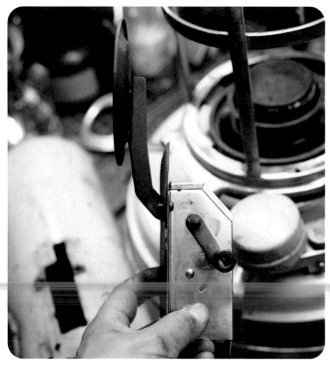

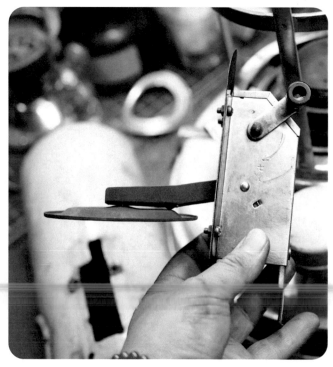

알라딘 난로 심지 다듬기 작업

알라딘 심지 다듬기 작업과정 1.

알라딘 난로 심지는 요즘의 유리섬유 심지가 아닌, 면심지로 만들어져 있다. 그러다보니, 불을 붙여 사용을 하다보면, 심지 상단에 카본이 쌓이게 된다. 카본이 생성되는 구조는 등유가 불에 타고 남는 찌꺼기와 면심지의 찌꺼기(재)로 보면 된다. (등유의 상태에 따라, 카본이 축척 되어지는 양이 달라진다. 등유가 오래되고 변질될 수 록 카본은 엄청나게 생성된다.)

심지 청소 즉, 생성된 카본의 양이 쌓이는 조건에 맞게 카본을 털어내야 하는데, 그 이유는 생성된 카본의 두께 때문에 불이 잘 붙지 않는 상태가 되면, 안정된 파란불을 볼 수 없는 구조의 난로가 알라딘 난로의 특징이다.

면심지부 상단의 카본을 사선으로 잘라내는 모습이다. 가장 이상적인 장비는 '미니니퍼' 를 추천한다.

알라딘 심지 다듬기 작업과정 2.

면심지 상단부를 수평상태로 잘라내는게 아닌 비탈진 사선방향으로 잘라내는게 알라딘난로 심지 다듬기의 가장 중요한 팁이다. 미니니퍼를 이용해서 사선으로 잘라낼때, 심지에 쌓인 카본만을 털어낸다는 느낌으로 "사각, 사각" 면심지부 겉면을 자른다는 느낌을 찾는게 가장 중요하다. 너무 지나치게 심지 사선면을 잘라내면, 심지의 면이 보이게되는데, 자주 다듬다보면 어느정도 익숙해지는 시점이 생기게 된다. 적당히, 카본 흔적이 남아있을 정도만 제거를 해주면된다.

꼼꼼하게 장시간 정성을 들여, 심지상단부 카본을 잘라낸 후, 칫솔로 털어내는 모습이다.털어낸 카본 찌꺼기들이 연료통 안으로 들어가지 않도록 항상, 연료통 바스켓이 끼워진 상태로 심지 다듬기를 실행해야 한다.

알라딘 심지 다듬기 작업과정 3.

사선면의 카본을 정리했다면, 이제 심지를 하단방향으로 내려, 최대한 심지 상단부의 끝단을 바스켓과 중앙 슬리브 수평라인에 살짝만 보이게 조절해준다. 그런 후, 미니 니퍼를 이용해서 수평으로 깍아준다. 이렇게 하는 이유는 심지의 사선면을 깍아낸 후, 심지의 상단부의 잔털을 수평으로 정리를 해주는 작업이다.상단부를 수평으로 정리한는 이유는 불꽃이 균일하게 올라 올 수 있도록 하기 위함이다.

심지의 상단 끝단을 최대한 수평이 맞도록 잘라낸 후의 모습이다.

바스켓 하단부에 심지를 깍아낸 후 떨어져 있는 카본 찌꺼기들이 보인다.

알라딘 심지 다듬기 작업과정 4.

심지다듬기가 끝났다면, 잘라낸 카본 찌꺼기들을 정리해야 하는 순서만 남았다. 잘라낸 카본은 연료통에 고정시켜둔 바스켓 하단 사이에 모두 떨어져 쌓여있게 된다. 바스켓을 조심히 돌려 빼낸 후, 바스켓 하단에 쌓인 카본을 툭툭, 털어내는 작업으로 심지 다듬기 작업은 끝을 낸다. 바스켓을 끼워둔 상태에서 심지 다듬기를 하는 이유는, 잘라낸 카본 찌꺼기들이 연료통안으로 떨어져 들어가게되면, 연료통 내부의 등유와 섞여, 등유를 변질되게 하거나 연료통 내부에 축적되어, 연료통 내부를 부식시키거나 부패되어 쌓이게 되기 때문이다.

바스켓 하단에 쌓인 카본찌꺼기를 털어내는 모습.

절대로 바스켓이 없는 상태에서 심지 다듬기를 하면 안된다.

알라딘 심지 다듬기 작업과정 5.

심지다듬기가 끝난 상태와 적당히 탄화된 심지 상단부의 비탈진 사선 모습을 볼 수 있다.

쌓였던 카본을 털어내면, 등유(●)가 심지 상단부로 흡수되어 잘 올라가면, 불을 붙였을 때 불꽃이 잘 붙는 모습을 볼 수 있다.

카본이 쌓여 뒤덮힌 심지 상단부는 불을 붙였을 때, 불이 잘 붙지 않는 현상이 발생한다.

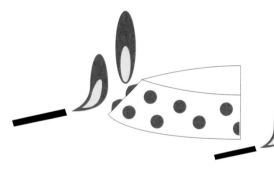

반면, 카본을 제거한 심지 상단부는 불을 붙였을 때, 불이 원활하게 불꽃이 바로 생성된다.

심지 다듬기 작업 전의 심지 상태다. 카본이 두텁게 쌓여 딱딱하게 굳어 있는 상태에서 불을 붙여보면, 상당히 지연된 후 천천히 불이 붙게 되는데, 이 시점에 심지 다듬기 작업을 진행하면 된다.

연소부 바스켓 가이드 카본 제거 작업 1.

바스켓 상단부 등유가 베어나와 난로열기로 탄 흔적이다. 탄화된 등유 찌꺼기가 바스켓상단에 쌓이게 되면, 공기흐름을 방해해서 파란불꽃을 흐트러지게 하기때문에 심지 다듬기작업을 진행할 때, 병행해서 긁어내면 된다.

헤라나 카터칼 날을 이용해서 가볍게 긁어내면 된다.

알라딘 난로 15형 심지에 불붙이기

알라딘 15형 심지에 불 붙이기 1.

알라딘 난로 심지 불붙이기 작업과정이다. 먼저, 연통부를 열고 눕힌 후, 스프레더를 한번 빼서서 다시, 끼워 넣는 과정을 실행한다.

스프레더를 비스듬히 끼워넣으면, 중앙 슬리브에 잘 들어간다.

스프레더를 하단에 완전히 밀어 끼운 후, 스프레더를 붙잡고 돌려 비벼준다. 돌려 비벼주는 이유는 스프레더가 하단에 완벽히 안착된 후, 수평을 맞추기위함이다.

스프레더를 제대로 안착 시켰다면, 심지를 **5mm** 정도만 핸드휠을 돌려 올려 준다. 비탈진 사선 만큼만 올려준다고 생각하면 이해가 빠른거다.

알라딘 15형 심지에 불 붙이기 2.

5mm 정도 올려진 상태의 심지에 불을 붙일 차례인데, 불을 붙이는 위치를 제대로 알고서 불을 붙여야 한다. 연통부가 눕혀지는 힌지 (회전부)부 쪽에서 부터 반드시 불을 붙여줘야 한다.

불이 천천히 전체 원을 기점으로 1/4 선으로 퍼져가면, 연통부를 세워 닫을 준비를 한다.(심지를 5mm 이상 올려둔 상태로 불을 붙였다 면, 불이 퍼지면서 그을음이 발생하게 된다.)

심지 다듬기 상태에 따라, 불이 2~3초 내에서 불이 붙을 거다.(심지 상단부에 카본이 누적되어 쌓여 있다면, 불은 5~6초 를 넘어 붙게된다.)-> 심지 다듬기 작업을 해주면 좀더 빨리 불이 붙는다.

불은 천천히 1/4선을 넘어 심지 원형부로 돌아 퍼지는 순간에 연통부를 세워 덮고, 닫는다.

알라딘 15형 심지에 불 붙이기 3.

왜?? 불을 힌지(회전부)부 부터 불을 붙여 닫는 이유는 바로, 상단 갤러리부에 그을음이 생기지 않게 하기위함이다.

좀더, 자세히 이미지를 보면 불은 연통부가 닫히는 사이, 불꽃이 갤러리 앞쪽을 지나가는게 아닌, 정중앙, 뚫려 있는 곳을 지나 닫히기 때문에 고질적인 갤러리 부위에 검게 그을음이 들러붙는 현상이 생기지 않는다.

노랑색 라인의 힌지(회전부)부에서 불을 붙여 사용하면 아래 이미지처럼 갤러리부를 그을음없이, 깨끗하게 사용할 수 있다.

고질적인 갤러리 부위에 검게 그을음이 생긴 모습을 볼 수 있다.(불을 여닫는 앞쪽에서 불을 붙이면 이러한 현상이 발생한다.)

알라딘 15형 심지에 불 붙이기 4.

불이 1/4선을 넘어 퍼져나가면, 연통부을 세워 닫는다. 윗 이미지처럼 불꽃이 심지 주변으로 천천히 퍼져나가게 된다.

불꽃이 심지 주변으로 퍼져나가면서, 최종 적으로 원형 불꽃을 이루게 된다.

불꽃이 완전히 원형을 이루면, 그때부터 핸 드휠을 돌려 심지를 올려줘야 한다.

핸드휠을 이용해서 불이 붙은 심지를 올려 주는데, 최대치까지 올려준다.(약, 1.5cm 정도까지 올려지면, 빠르게 반대방향으로 핸드휠을 돌려 심지를 내려줘야 한다.)

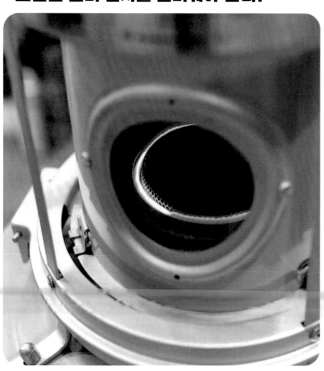

알라딘 15형 심지에 불 붙이기 5.

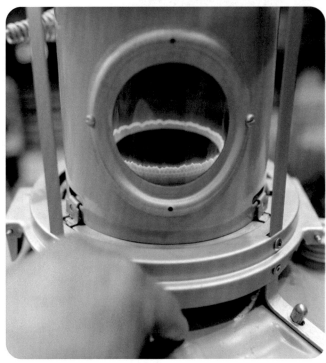

핸드휠을 돌려, 불꽃을 내려주는데, 약, 0.8 cm ~ 1cm 까지 내려주면 된다. (왜, 불꽃을 최대치까지 올린 후, 다시 내려주는 이유는 알라딘 난로 15형 심지 걸쇠는 두곳을 잡아주는 역할을 한다. 올라가는 방향보다 내려오는 방향에서 수평이 안정적으로 잡히는 현상을 이용하는 방법이다.)

핸드휠을 돌려, 심지를 올리거나 내릴 시, 알라딘 난로 15형은 특징은 있다.

심지 높이를 약 0.8cm ~ 1cm 까지 최적의 높이에 불꽃을 맞춰준 후, 핸드휠을 반대로 돌려주는데, 한바퀴 반정도를 돌려주면, 핸드휠이 무부하 상태의 허당구간이 나온다. 이구간에 핸드휠을 놓아두면 된다.

핸드휠을 반대 방향으로 돌릴 시, 중간에 허당구간(무부하상태) 을 만나게 된다. (이 구간에 항상, 핸드휠을 정렬해 두면, 심지의 수평상태 및 핸드휠 나사에 부담을 덜어줘 오래도록 사용할 수 있는 중요한 팁이다.)

알라딘 난로 39형 심지에 불붙이기

알라딘 39형 심지에 불 붙이기 1.

알라딘 난로 심지 불붙이기 작업과정이다. 먼저 연통부를 열고 눕힌 후, 스프레더를 한번 빼서서 다시, 끼워 넣는 과정을 실행한다.

스프레더를 비스듬히 끼워넣으면, 중앙 슬리브에 잘 들어간다. 스프레더를 하단에 완전히 밀어 끼운 후, 스프레더를 붙잡고 돌려 비벼준다.

돌려 비벼주는 이유는 스프레더가 하단에 완벽히 안착된 후, 수평을 맞추기위함이다.

스프레더를 제대로 안착시켰다면, 심지를 **5mm** 정도만 핸드휠을 돌려 올려 준다. 비탈진 사선 만큼만 올려 준다고 생각하면 이해가 빠른거다.

알라딘 39형 심지에 불 붙이기 2.

5mm 정도 올려진 상태의 심지에 불을 붙일 차례인데, 불을 붙이는 위치를 제대로 알고서 불을 붙여야 한다. 연통부가 눕혀지는 힌지 (회전부) 부쪽에서 부터 반드시 불을 붙여 줘야 한다. 심지 다듬기 상태에 따라, 불이 2~3초 내에서 불이 붙을 거다. (심지 상단부에 카본이 누적되어 쌓여 있다면, 불은 5~6초를 넘어 붙게 된다.)→ 심지다듬기 작업을 해주면 좀더 빨리 불이 붙는다.

불이 천천히 전체 원을 기점으로 1/4 선으로 퍼져가면, 연통부를 세워 닫을 준비를한다. (심지를 5mm 이상 올려둔 상태로 불을 붙였다 면, 불이 퍼지면서 그을음이 발생하게 된다.)

불은 천천히 1/4선을 넘어 심지 원형부로 돌아 퍼지는 순간에 연통부를 세워 덮고 닫는다.

왜? 불을 힌지(회전부)부 부터 불을 붙여 닫는 이유는 바로, 상단 갤러리부에 그을음이 생기지 않게 하기위함 이다. 연통부가 닫히는 사이, 불꽃이 갤러리 앞쪽을 지나가는게 아닌, 정중앙, 뚫려 있는 곳을 지나 밀어기때문에 고릴릭인 갤러리 부위에 검게 그을음이 들러붙는 현상이 생기지 않는다.

알라딘 39형 심지에 불 붙이기 3.

불이 1/4 선을 넘어 퍼져나가면, 연통부을 세워 닫는다. 불꽃이 심지 주변으로 천천히 퍼져나가게 된다.

불꽃이 심지 원형주변으로 퍼져나가면서, 최종적으로 원형 불꽃을 이루게 된다.

불꽃이 완전히 원형형태의 불꽃을 이루면, 그때부터 핸드휠을 돌려 심지를 올려주면 된다.

핸드휠을 이용해서 불이 붙은 심지를 올려 주는데, 약, 0.8cm ~ 1cm정도까지 파란 불꽃이 올라오게 올려주면 된다. (추후, 불꽃이 안정화 되면서, 조금 더 올라가는데 이때, 다시 0.8 cm ~ 1cm 정도로 낮춰주면 된다.)

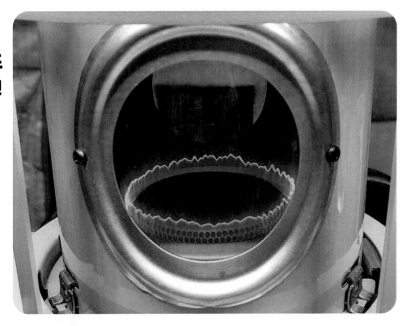

알라딘 난로 심지 끼우기

사용 중에 연료탱크 내 등유가 소진되게 됩니다.
면 심지가 타면서 그을음이 발생하게 되기 전에
등유가 전부 소진되기 전에
소화 또는 급유를 실시해 주십시오.

알라딘 39형 심지 끼우기 작업과정 1.

심지홀더를 쉽게 빼내는 방법은 핸드휠 정면볼트를 풀고, 내측부 스프링과 검정 다이얼을 빼낸 후, 다시 핸드휠만 끼워 넣고, 돌리면 심지 홀더가 쉽게 윗쪽으로 올라온다.

핸드휠 내측부 스프링 다이얼

알라딘 난로 39형 심지 끼우기 작업과정이다. 먼저, 새심지를 준비한다. 새심지는 파란색 박스에 16LP 라는 문구가 적힌 사각박스가 정품 심지의 모습이다.

핸드휠 뒷편, 스프링과 검정 다이얼을 빼낸 후, 핸드휠만 끼워넣고, 돌리면 심지홀더가 락 걸림 없이, 쉽게 올라온다. 빼낸 심지 홀더에 새심지 옆면의 클립부를 끼워 넣고, 고정이 잘 되었는지 확인을 해본다.

심지홀더에 끼운 심지를 이제, 연료통 중앙 슬리브에 끼워넣을 차례다. 심지홀더의 톱니부를 움직여주는 톱니 사이에 심지 하단이 걸리지 않게 눌러 넣어주어야 한다.

심지를 슬리브에 끼워넣을 차례인데, 가장 중요한 심지끼우기 단계로 보면된다. 심지의 하단부를 밀어 넣다보면, 심지내측부에 심지를 잡아주는 노랑천이 보인다.

알라딘 39형 심지 끼우기 작업과정 2.

이 노랑천이 슬리브 상단에 끼여, 구겨져 들어가면, 심지 상/하 이동이 굉장히 뻑뻑해지는 현상이 일어나기에, 최대한 조심스럽게 원형라인에 반듯하게 끼워 넣어야 한다.

심지 내측부의 노랑천이 구겨지지 않게 납작한 도구를 이용해서, 슬리브상단부터 심지를 눌러, 천천히 밀어주면서 끼워준다.

반면, 심지홀더 외측부 톱니 라인을 맞춰 끼워주는 작업을 동시에 진행을 해줘야 한다.

심지를 잘 끼워 넣었다면, 심지의 상/하 움직임이 부드럽게 작동 하는지 체크 해보면 된다.

알라딘 15형 심지 끼우기 작업과정 1.

39형 심지 끼우기와 조금은 다른 알라딘 난로 15형 심지 끼우기 작업과정 이다. 먼저, 15형심지는 주황색 정사각 박스가 정품이다.

39형 심지와 동일하게 연료통 중앙 슬리브 내측부에 천 (15형은 빨강색 천) 이 구겨지지 않게 잘 끼워 넣어준다. 15형은 심지 홀더가 없는 형태다.다만, 양 옆 걸쇠를 끼워주는 방식으로, 15형 심지에 붙어있는 단추를 걸쇠구멍에 맞춰 끼워주면 된다.

알라딘 난로 15형 연료통에 심지가 양옆 걸쇠에 잘 끼워져 있는 모습을 볼 수 있다.

심지를 하단으로 내린 후, 스프레더를 끼운 모습이다. 작동상태를 체크해보면 된다.

알라딘 난로 심지 종류별 소개

알라딘 심지 소개 1.

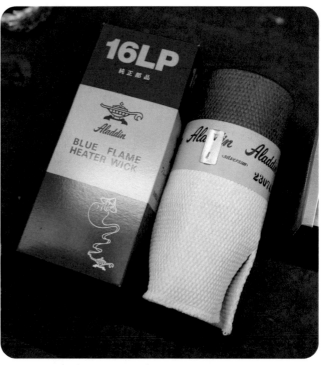

현재 전세계적으로 유통되고 있는 알라딘 난로 심지는 2종으로 8, 15형 심지와 32, 37, 38, 39형 심지다. 모두, 면재질로 만들어진 제품이다.

16LP 글자와 직사각 파란박스.
일본에서 제조 되는 32, 37, 38, 39형 심지모습이다.

WICK 15 글자와 정사각 주황박스.
영국에서 만들진 8, 15형 심지모습이다.
(제조공장은 동남아로 추측.)

영국제 주황박스 심지 중, 32, 37, 38형 에도 맞는 심지도 생산한다. 두종류의 심지는 특별한 차이점이 있다.

알라딘 심지 소개 2.

번외로 국내 생산한 15형 심지 1 종류를 소개 해본다. 국내생산품으로 매니아층에서 잠깐 만들어졌던 제품이다.

영국생산 15형 심지 모습이다.
심지 면사 직물구조 패턴이 헐렁한 상태와 상단 가장자리에 보푸라기가 그대로 보여진다.

일본생산 39형 심지 모습이다.
심지 면사 직물구조 패턴이 굉장히 조밀한 구조와 심지상단 가장자리가 비탈진 사선 가공 및 탄화작업된 흔적을 볼 수 있다.

국내에서 잠깐, 생산된 심지 모습이다.
심지 면사 직물구조 패턴이 두툼한 모습에 상단 가장자리는 그대로 절단된 모습이다.

알라딘 심지 소개 3.

<< 영국생산 15형 심지 >>
면사 직물구조가 헐렁하고 빈약하게
제작된 심지지만,이러한 단점이 알라
딘 난로 연소부인 바스켓과 중앙슬리
브의 좁은 공간사이를 빡빡하게 걸리
지 않고,쉽게 상/하 이동이 용이한 점
이 장점인 상황인 심지다. 반면, 심지
상단 가장자리가 그대로 면상태이기
에 심지에 등유를 적셔, 장시간 태워
심지 길들이기 작업은 며칠 동안 진행
해야 한다.

<< 일본생산 39형 심지 >>
면사 직물구조가 굉장히 조밀한 구조
로 제작된 심지며,두께면의 압축력과
심지가 꼿꼿한 형태이다.이러한 장점
이 알라딘난로 연소부인 바스켓과 중
앙슬리브의 좁은 공간 사이를 부드럽
게 상/하 이동이 용이하며, 심지 상단
가장자리가 사선(비탈진) 가공 및 탄
화작업을 거쳐 공장에서 생산되어져
나온 제품으로 심지 길들이기 및 심지
다듬기작업을 하지않아도, 안정된 파
란불꽃을 바로, 볼 수 있다.

<< 국내생산 심지 >>
면사 직물구조가 상당히 두툼한 형태
로 알라딘난로 연소부인 바스켓과 중
앙슬리브의 좁은 공간사이에 끼여,상
/하 이동이 쉽지 않는 단점이 있는 아
쉬운 심지다. 제작 공정은 꼼꼼하게
만들었지만, 그로인한 끼임현상이 심
한편이며,영국제 심지와 동일한 심지
상단 가장자리가 그대로 면상태이기
에 심지에 등유를 적셔, 장시간 태워
심지 길들이기 작업은 며칠 동안 진행
해야 한다.

알라딘 난로 15형 심지 문제

알라딘 15형 심지 문제점 1.

<< 영국생산 15형 심지 >>
면사 직물구조가 헐렁하고 빈약하게 제작된 심지지만, 이러한 단점이 알라딘 난로 연소부인 바스켓과 중앙슬리브의 좁은 공간사이를 빡빡하게 걸리지 않고, 쉽게 상/하 이동이 용이한 점이 장점인 상황인 심지다. 반면, 심지 상단 가장자리가 그대로 면상태이기에 심지에 등유를 적셔, 장시간 태워 심지 길들이기 작업은 며칠 동안 진행해야 한다.

영국산 심지의 문제점이 하나 있다. 동남아시아 (말레이시아 쪽)공장생산에서, 박스 조립만 영국에서 하는지는 모르겠으나, 직물 구조가 헐렁하고 빈약하게 제작된 심지가 단점이자 장점인데, 치명적인 문제점이 한곳 있다.

바로, 원통형 심지가 맞물려 재봉해 붙여진 수직라인이 여러심지별로 문제가 발생하는 상황이다. 최종적으로 마감과정에서 덧붙여진 수직 라인부위의 직물 구조가 다른곳 보다 패턴이 빈약하게 제작되어 심지를 난로에 끼워넣고, 심지 길들이기 및 심지 다듬기 작업을 진행하다 보면, 불꽃이 계곡을 이루며, 파란불이 치우쳐지는 현상이 발생한다.

알라딘 15형 심지문제점 2.

이렇게 수직 라인부위의 마지막 붙임 작업 공정과정에서 직물 구조가 다른 곳 보다 패턴이 빈약하게 제작되어진 모습이다.

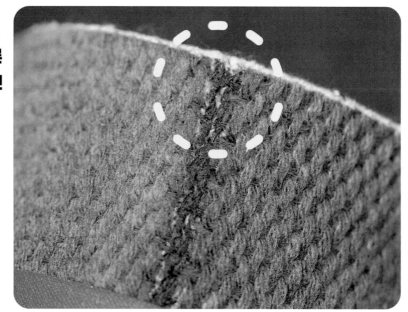

직물구조 패턴이 빈약하게 제작된 심지를 알라딘 난로에 끼워 넣고, 불을 붙여, 심지 길들이기 작업 및 심지 다듬기 작업을 진행하다 보면, 심지 내 측부 빨강천 부위가 불꽃에 먼저, 타 들어가는 현상이 일어난다.

이러한 현상이 심지 길들이기 및 다듬기 작업이 거의 끝날 무렵, 파란 불꽃 한부위가 움푹파인 계곡 현상을 일으켜, 불안전한 노랑 불꽃 모습을 간헐적으로 비춰진다. 계곡진부위의 심지면을 꾸준히 정성들여 다듬어도 이러한 현상을 바로 잡을 수 없기에, 심지는 불량으로 판정이 나는결과를 얻는다.

심지 크리닉 원형 부품 사용법

알라딘 난로에는 '심지 크리너' 라는 부품 있다. 이 심지 크리너를 제대로 사용하는 방법을 대부분 잘 알지 못하기에, 이번에 정확한 사용방법에 대해 설명하고자 한다.

심지 크리너의 재질은 현재는 플라스틱 재질로 만들어져 나온다. 원형 형태의 바스켓 윗 부분에 덮어 사용하는 기구이며, 심지의 카본을 긁어내는데, 사용하는 도구이다.

심지 크리너의 안쪽부분 모습이다. 중앙슬리브에 딱, 들어가는 사이즈의 원형 홀의 턱이져 있다.

심지 크리너를 사용하기전, 알라딘 난로는 장시간 가동이 되어지고 있는 상태여야 한다.

심지 크리닉 원형 도구 사용방법 2.

난로를 막, 소등한 상태(소화)에서, 바로 이동손잡이를 잡고 연통부를 옆으로 눕힌 후, 스프레더를 빠르게 빼낸다.(스프레더는 뜨거운 열기에 달궈져 있지 않는다.)
-> 공기통로 역할을 하는 구조로 미지근한 정도의 열기를 품고 있을 정도다.

바스켓 위, 중앙슬리브에 끼워져 있는 심지 크리너 모습이다.

난로를 소화한 상태는 심지가 하단으로 내려가 있다. 이때, 심지 크리너를 스프레더가 빠진 자리에 그대로 올려 끼운다.

중앙슬리브에 끼워져 있는 심지 크리너를 핸드휠을 돌려 방금 불이 꺼진 심지를 상단부로 심지크리너와 함께 올려준다.

심지 크리닉 원형 도구 사용방법 3.

심지와 함께 올려진 심지 크리너를 손으로 눌러 준다.(심지 가장자리가 크리너 안쪽 홈에 들어가도록 조심히, 쿠욱 눌러준다.)

쿠욱, 눌러진 심지 크리너를 시계방향으로 돌려준다.

반복적으로 눌러진 상태에서 심지 크리너를 시계방향으로 계속 돌려준다.

심지 크리너가 심지 가장자리에서 이탈하지 않는 상태로 돌려줘야 한다. 방향은 시계방향인 한쪽 방향으로만 돌려준다.

심지 크리닉 원형 도구 사용방법 4.

심지 크리너를 시계 방향으로 어느 정도 돌리다보면, 상단 크리너 홈사이로 심지에 쌓여있는 탄화된 카본 슬러지가 닦이며, 걸러져 올라오는 흔적을 볼 수 있다.

카본 슬러지가 적당히 걸러져 올라왔다면, 심지크리너를 바로 들어올려 빼지말고, 그대로 둔 상태로 놔둔다.

심지 크리너를 놓아둔 상태에 핸드휠을 돌려 심지를 하단으로 내려준다.

핸드휠을 돌려 심지를 하단으로 내리다 보면, 심지 크리너도 자연스럽게 바스켓 상단까지 내려 가진다.

심지 크리닉 원형 도구 사용방법 5.

핸드휠을 돌려, 심지를 하단 끝까지 내려 놓은 위치 상태다.

심지가 하단으로 내려가면, 심지크리너는 바스켓 상단에 걸쳐 있고, 크리닉한 심지 상단부는 하단 자리로 돌아간 상태가 된다. 이렇게 하는 이유는 심지를 크리닉 후, 심지 크리닉 도구를 손으로 들어 올리게되면 심지 상단부가 헝클어져 버리기때문에 헝클어지는 것을 막기 위함이다.

심지가 슬리브 하단 끝까지 내려가진 상태에서 심지 크리너 도구를 들어올리면 된다.

심지 크리닉 작업이 모두 완료된 상태이며, 이후, 몇가지 작업과정이 더 남아있다.

심지 크리닉 원형 도구 사용방법 6.

심지 크리닉 상단 홀에 카본 찌꺼기가 걸러 져 쌓인 모습이다. 이작업을 난로를 끈 (소 화)시킨 바로 즉시, 하는 이유는 심지에 쌓 여 있는 카본 슬러지가 딱딱하게 식어, 굳 어지기 전에 작업하는게 심지 크리닉 작업 에 중요한 포인트다.

다시, 핸드휠을 돌려, 심지를 하단으로 내 려 놓는 작업을 진행한다.

열기가 남아있는 심지 상단부의 카본 스러 지를 걷어낸 후 모습이다. 이렇게 하면, 등 유가 연료통 하단에서 심지 상단부까지 잘 올라와 불이 보다 더, 빠르게 잘 붙는다.

심지를 내려 놓는 이유는 스프레터를 다시 끼울때, 크리닉한 심지 상단부를 헝클어지 지 않게 하기 위함이다.

스프레더를 다시, 중앙 슬리브에 끼워넣는다.

스프레더를 끼워넣고, 잘 끼워져 있는지 한 번 더 비벼돌려, 수평라인을 맞춘다.

심지에 불을 붙이기위해, 0.5cm 사선 라인까지만 올려준다. 심지 크리닉 후, 불을 다시 붙이는 이유는 크리닉한 심지의 잔부스러기 등을 태워줄 목적으로 한다.

불을 붙일 때는 연통부 열리는 힌지 라인 방향에서 불을 붙여준다.

심지 크리닉 원형 도구 사용방법 8.

힌지 라인 방향에서 불을 붙인다.

불이 1/4 선으로 퍼져나갈때까지 기다려 준다.

천천히 불이 심지 원형을 따라 퍼져나간다.

불이 1/4 선을 넘어서면, 연통부를 닫을 준비를 한다.

심지 크리닉 원형 도구 사용방법 9.

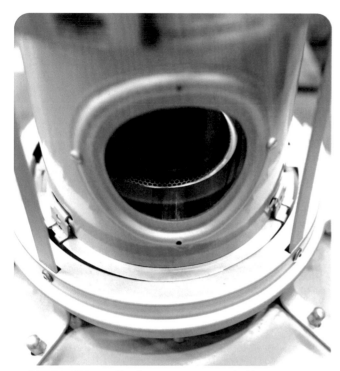

연통부를 닫은 후, 불이 심지 원형 둘레로
퍼져나가는 것을 지켜본다.

심지 원형 둘레로 퍼져나가는 불꽃이 온전
한 원형을 이룰때까지 기다려야 한다.

크리닉된 심지 상단부 원형둘레 전체로 불
꽃이 돌아, 원형을 이루게 되면 다음 작업
진행을 준비해야 한다.

핸드휠을 돌려 낮은 파란 불꽃이 생성 되는
지점까지만 올린 후, 다시 핸드휠을 반대로
돌려 심지를 내려주는 작업을 진행 한다.

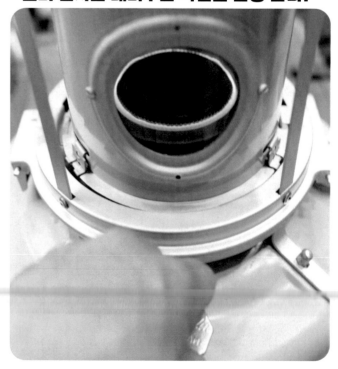

심지 크리닉 원형 도구 사용방법 10.

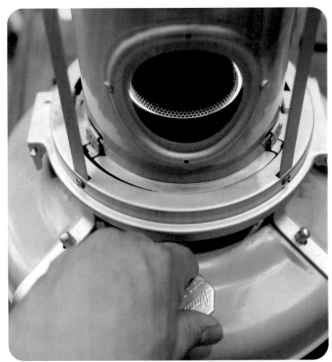

핸드휠을 반대로 돌려 심지를 천천히 내려주면서, 파란불꽃이 노랑불꽃으로 변하는 지점까지만 심지를 내려준다. 약 노랑불꽃 상태로 10~ 15초 정도만 유지 후, 다시 핸드휠을 시계방향으로 돌려 심지를 파란불꽃으로 변하는 시점까지 올려준다.

파란 불꽃으로 변한 후, 잠시 태워주다가, 다시, 핸드휠을 시계 반대 방향으로 돌려 노랑불꽃으로 변하는 지점까지 돌려준다. 이러한 이유는 노랑불꽃은 불안전 연소를 하는 불꽃으로 크리닉한 심지상단의 잔부스러기를 태워주는 역할을 한다.

불안전 연소를 하는 노랑불꽃 지점에서 오래도록 방치하면, 바스켓과 스프레더의 황동재질에 열이 지나치게 전달되어 변색이 진행되니, 장시간 유지를 피해야 한다.

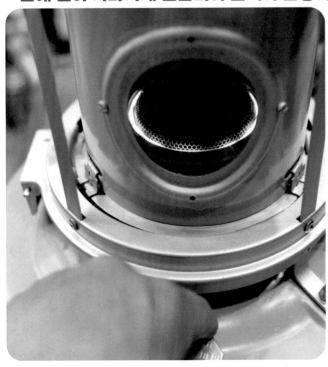

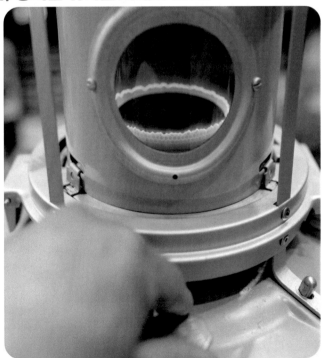

심지 크리닉 원형(철재질) 구형 부품

심지 크리닉 원형(철재질) 도구 사용방법 1.

현재 생산되는 (신형) 심지 크리닉 도구와 예전에 생산된 (구형) 심지 크리닉 도구의 모습이다.

현재는 철재질 심지 크리닉 도구는 생산되지 않는다.

심지 크리닉 도구 중, 50년대에 만들어진 크리닉 도구는 철재질로만 만들어져 있다.

(구형) 철재질 심지 크리닉 도구는 현재 만들어지는 플라스틱 크리닉 도구와 다른 차이점 및 특징을 설명하고자 한다.

심지 크리닉 원형(철재질) 도구 사용방법 2.

(구형) 철재 심지 크리닉 도구는 프레스 가공으로 만들어진 특징과 심지 상단부를 깎아주는 날이 서있는게 현재의 (신형) 심지 크리너와 다른 차이점이다.

지나칠 만큼 심지를 파헤져 놓는 단점도 있지만, 심지 상단부에 오래도록 쌓여있는 카본 슬러지를 한번에 털어내주는 장점도 있다.

크리닉 홀더 상단부 뚫린곳은 심지의 최 끝단까지 긁어만 내는게 아닌, 깎아내는 날이 기울어져 있다.

다만, 심지가 식어 딱딱하게 굳어있을 때는 사용을 하지말아야 한다. 심지 상단부을 엉망으로 만들어 버리기에, 꼭! 심지를 장시간 사용 직후, 열기가 남아 있을때 반드시 사용을 하는게 좋다.

심지 크리닉 원형(철재질) 도구 사용방법 3.

심지다듬기를 자주 해주지 않는 상태나 또는, 오래된 심지를 재 사용할때, 쌓여 있는 카본 덩어리를 커팅하듯 잘라 내면서 긁어 내는 역할을 해준다.

심지 크리닉 도구 상단 뚫여있는 라인에 카본 찌꺼기가 잘려져 나오는 모습이다.

(구형) 철재 심지 크리닉 도구 상단에는 손가락 두개로 눌러 돌릴 수 있는 홈이 세워져 있다.

국내 생산된 두툼한 심지로 기존(신형) 크리닉 도구로는 심지가 두꺼워 정리를 못한다.(구형)철재 심지 크리닉 도구를 이용해서 심지 상단부를 정리한 모습이다.

알라딘 39형 심지->15형 개조 작업

알라딘 39형심지 -> 15형 개조 작업과정 1.

오랜 방치로 정비를 맡긴 알라딘 난로 15형에서 적출한 폐급 심지다. 폐급 심지를 자세히 보면, 황동재질의 단추고리가 붙어 있는걸 알수 있다. 이 황동고리(단추)를 재활용하는 방법이다.

뽀족한 핀(발)을 펴낸 후, 폐 심지에서 핀을 빼낸다. 빼내는 동안, 뽀족한 핀(발)이 부러지지 않게 전용 툴을 이용해서 빼낸다.

알라딘난로 15형 걸쇠에 끼워지는 단추(고리)핀만 분리를 시작한다. 조심스럽게 일자드라이버끝단을 이용해서 심지에 깊숙히 박힌 뽀족한 핀(발)을 펴준다.

15형 걸쇠의 핀(발)은 각각 두개가 한쌍이다. 동일한 앞전 방식으로, 뽀족한 핀 (발)이 부러지지 않게 폐 심지에서 빼낸다.

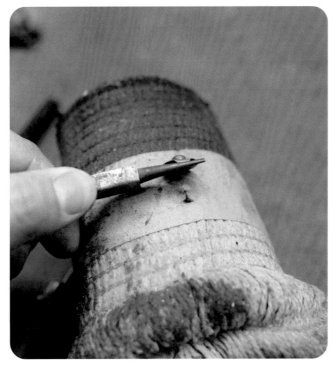

알라딘 39형심지 -> 15형 개조 작업과정 2.

15형 걸쇠에 끼워지는 단추고리를 한쌍, 분리한 모습이다.

단추고리의 핀(발)을 어느정도 펴낸 후, 폐급 심지에서 빼낸 상태이기에, 아직은 구부러져 있는 모습이다.

오랜시간이 지나도, 부식이 일어나지 않고, 견딘 이유는 황동 재질 이기에 가능한 이유이다. 이 단추 고리와 핀(발)을 세척후, 재사용을 할 목적이다.

가장 먼저, 선행할 작업, 단추 고리의 고정을 담당 하는 핀을 최대한 조심스럽게 수직으로 펴내야 한다.

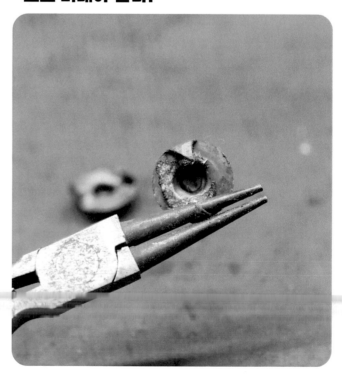

알라딘 39형심지 -> 15형 개조 작업과정 3.

전용툴을 이용해서, 단추 고리의 고정 핀을
펴낸 모습이다.

펴낸 고정 핀은 구부러진 부위를 강제로 폈
기에, 반복적으로 구부리는 작업을 진행하
면 부러져 버린다.

모래샌딩과 비드(유리가루)샌딩을 이용해
서, 기존 묵은 때를 벗겨낸 모습이다.

알라딘 난로 15형 걸쇠에 끼워질 고리 상단
부인 볼록한 단추 모습을 볼 수 있다.

알라딘 39형심지 -> 15형 개조 작업과정 4.

폐급 15형 심지에서 고리 핀을 분리 후, 재 사용할 수 있게 준비를 했다면, 이제 새심 지를 대신할 알라딘 난로 39형 심지를 개 조할 차례이다.

선행 작업과 동일한 일자 드라이버 끝단을 이용해서 39형 심지를 고정하는 클립 핀을 조심스럽게 펴서 들어 올리는 작업을 진행 한다.

39형 심지에서 떼어낸 클립 핀은 재사용을 할 목적이 없기에, 버리거나 보관할 필요는 없다.

클립이 제거된 알라딘 난로 39형 심지 옆면 의 파인 흔적이 보인다.이 흔적을 최대한 평 평하게 잡아주는 작업을 진행할 예정이다.

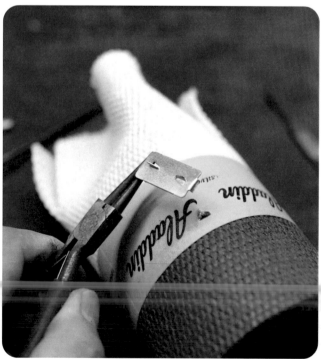

알라딘 39형심지 -> 15형 개조 작업과정 5.

알라딘 39형 심지부 클립 제거후, 흔적이다. 중앙 슬리브 및 바스켓 라인에 걸리적거리지 않게, 생체기 자국을 최대한 눌러줘야 한다.

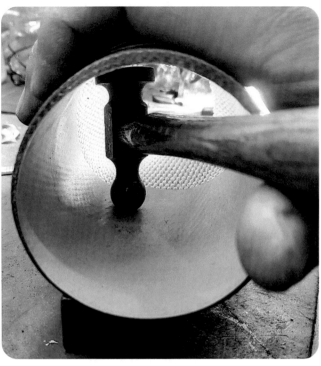

금속공예 작은 장도리와 하단에 쇠뭉치 지그를 받쳐두고, 장도리 원형부분으로 심지 안쪽에서 조심스럽게 망치질로 눌러준다.

동일한 방법으로 심지 안쪽 상단부 홈자국을 금속공예 작은 장도리를 이용해서 조심스럽게 망치질로 눌러준다.

클립 생체기 홈자국을 정리한 후, 90도 방향 심지편에 새로운 15형 단추고리핀을 달기 위해, 수직 라인을 긋는 작업이다.

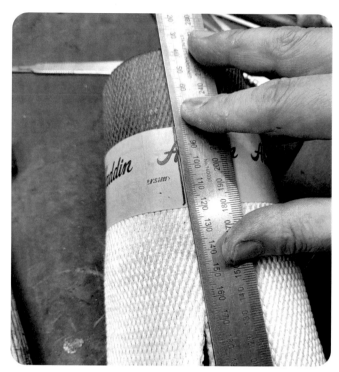

90도 방향, 반대편 심지 옆면을 돌려 보면 클립이 붙어있지 않는 깨끗한 면을 볼수 있다. 이 면을 이용해서, 알라딘 난로 15형의 단추고리 핀을 끼울 자리 위치를 잡아본다.

이제, 심지부가 아닌, 안착 시킬 15형 알라딘 난로 중앙슬리브 상단 끝단에서 심지를 잡아 주는 걸쇠의 최하점 하단라인의 길이를 측정한다.

앞서 작업했던 방법으로 수직라인을 찾아 네임펜으로 마킹을 해준다.

핸드휠을 돌려 심지 걸쇠부를 하단 끝까지 내린 후, 걸쇠 구멍의 중앙 센터를 체크 하여 쇠자로 높이를 측정해 기록을 해둔다.

심지 걸쇠부 하단 끝라인과 걸쇠 구멍의 중앙 센터에서 중앙 슬리브 상단까지 약 7.2cm ~ 7.5cm 정도가 평균값이다.

다시, 심지부를 봐본다. 심지 상단 끝단에서 심지 중앙 노랑띠의 6.2cm ~ 6.5cm 부분에 마킹을 해둔다.

심지부 반대쪽 편에도 똑같이 심지 상단 끝단에서 심지 중앙 노랑띠의 6.2cm ~ 6.5cm 부분에 마킹을 해둔다.

심지부 마킹된 곳에 15형 단추고리 (핀)을 꽂아, 흔적을 남겨둔다. 15형 결쇠 고리용 단추 고리는 핀의 위치가 천차만별이기에 핀을 꽂은 위치별 화살표 마킹을 해둔다.

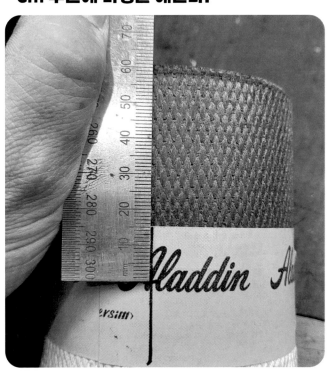

알라딘 39형심지 -> 15형 개조 작업과정 8.

15형 단추고리 (핀)을 꽂아 흔적을 남기는 모습을 보여준다.

15형 단추고리 (핀)의 발을 펴 보면, 천차만별로 핀 발의 위치가 다르기때문에 상/하단 화살표 마킹을 해둔 모습이다.

15형 단추고리 (핀)에 상/하단 화살표 마킹 모습이다.

39형 새심지 수직 라인에 15형 단추고리 (핀)을 꽂아 흔적을 남긴 모습이다.

15형 단추고리(핀)을 꽂아 흔적을 남긴 곳을 수술용 메스(칼)를 이용 깊게 심지 옆면을 뚫어준다.

수술용 메스 (칼)를 이용하는 이유는 심지 옆면에 얇고, 깔끔한 수직라인으로 뚫어주기 위함이다.

39형 심지 안쪽 면에 수술용 메스 칼날이 주변 생체기자국없이 깔끔하게 뚫고 나온 모습이다.

앞서 작업한 동일한 방법으로 15형 단추고리 핀 발 흔적 두군데에 수술용 메스(칼)로 깔끔하게 뚫어주고 있는 모습이다.

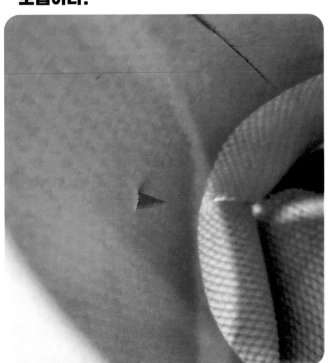

알라딘 39형심지 -> 15형 개조 작업과정 10.

반대편 (맞은편)도 동일한 방법으로 15형 단추고리 핀발 흔적 두군데에 수술용메스 (칼)로 깔끔하게 뚫어주고 있는 모습이다.

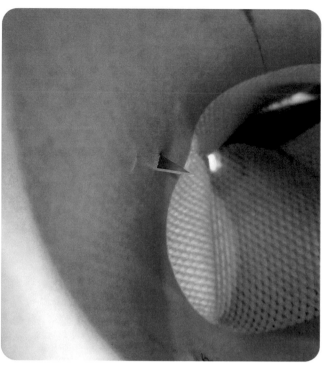

반대편 (맞은편) 심지 안쪽인 수술용 메스 (칼)로 깔끔하게 뚫어주고 있는 모습이다.

15형 단추고리를 수술용 메스로 뚫어놓은 곳에 안착시키는 모습이다.

심지 안쪽에 15형 단추고리의 핀발이 뚫고 나온 모습이다.

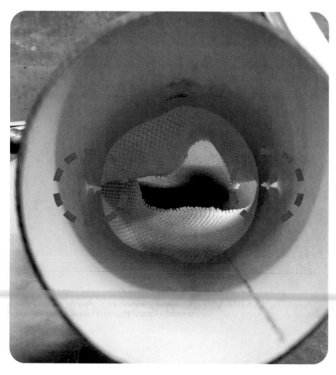

알라딘 39형심지 -> 15형 개조 작업과정 11.

39형 심지 옆면에 기존 클립이 끼워져 있다가 빼낸 흔적과 15형 단추형 고리핀이 끼워진 모습을 확인 할 수 있다.

반대편 쪽의 동일한 작업 모습이다. 수직라인과 180도 마주보는지를 중점으로 체크가 반드시 필요하다.

이제, 15형 단추고리 핀을 끼워 넣었기에 고정을 단단히 할차례다.

하단에, 쇠 지그 구멍에 15형 단추 부분을 끼워 넣고, 심지 안쪽에서 고리 핀 발을 고정 시킬 순서다.

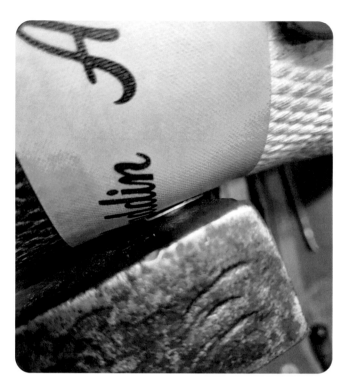

쇠 지그 구멍에 15형 단추 부분을 단단히
끼워 넣은 모습이다.

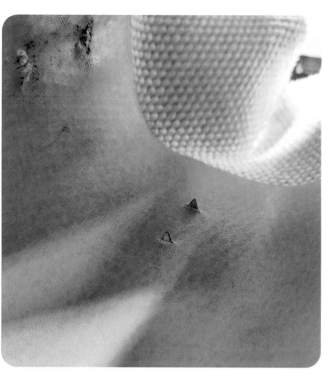

심지 안쪽에서 보는 15형 단추고리 핀 발
의 모습이다.

먼저, 일자드라이버 끝단을 이용해서, 핀
발을 조심스럽게 구부려 눌러준다.

그런 후, 금속공예 망치의 원형편으로 조
심스럽게 두들겨 주는 작업을 진행 한다.

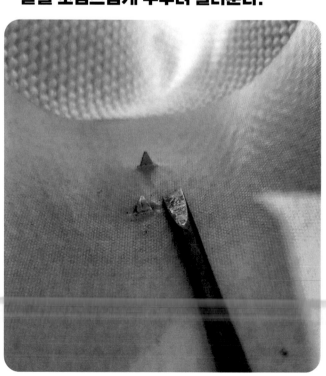

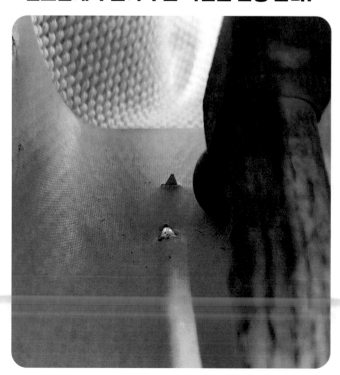

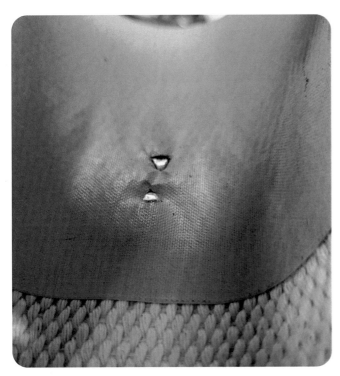

15형 단추고리 핀 발을 금속공예 망치로 두 둘겨준 모습이다. 심지 밖, 하단에는 쇠 지 그가 잡아주고있는 상태여서, 최대한 핀발 이 밀착되게 구부려진 작업 결과물이다.

심지 외측부에서 본 15형 단추고리가 완벽 히 39형 심지 옆면에 고정된 모습이다.

반대편, 심지 외측부도 동일하게 심지 옆 면에 15형 단추고리가 고정된 모습이다.

이제, 마지막 작업이 남아 있다. 심지 하 단의 등유가 적셔져 올라오는 부분을 넓 게 절개해 주는 작업이다.

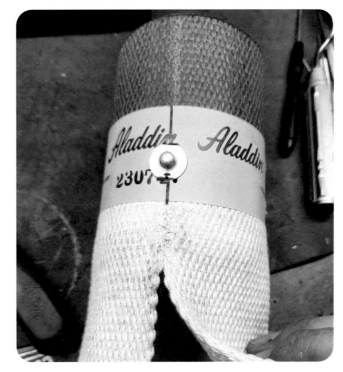

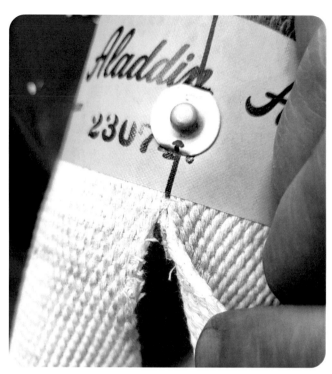

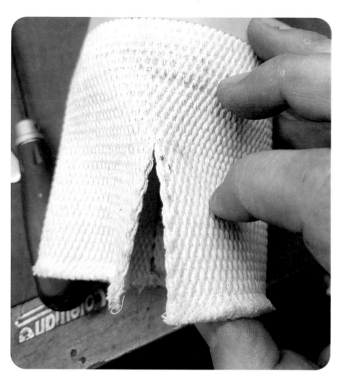

39형 심지는 심지홀더를 이용해서 중앙 슬리브에 수직으로 밀착이 되는 방식 이지만, 알라딘 난로 15형은 심지부가 중앙 슬리브을 통해, 하단 으로 내려 가면 넓게 펼쳐지는 형태를 유지해야 한다.

39형 심지 하단 양쪽면을 모두, 노랑 옆면 라인까지 가위로 잘라내준다.

이렇게 심지 하단부의 면이 펼쳐 지도록 충분히 잘라 내준다.만약, 이렇게 절개를 해주지 않으면, 알라딘 난로 15형 연료통 내부에서 개조한 심지가 하단끝까지 내려가지 않는 상황이 발생하기 때문이다.

반대쪽 면 까지 잘라내고 있는 모습이다.

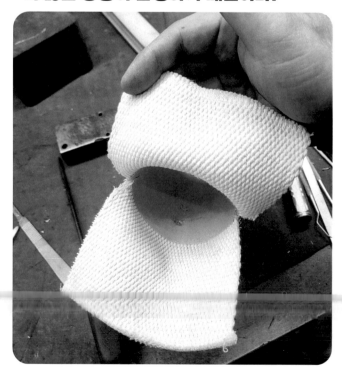

알라딘 39형심지 -> 15형 개조 작업과정 15.

알라딘 난로 15형 연료통 내부는 심지의 하단부가 넓게 펼쳐져 등유가 넓은 분포도로 심지에 적셔져 올라와야 불꽃이 보다 안정적으로 보여주기 때문이다.

심지의 고정 걸쇠 개조 시, 가장 중요한 사항은 마주보는 걸쇠의 수평과 높낮이의 편차를 잘 보고, 심지 옆면을 뚫어, 고정 시켜 줘야 한다. 가끔은, 심지를 올려주는 걸쇠의 위치가 서로다른 단차를 보여주는 난로도 있기에 그것 역시, 높이 편차에 맞게 고정 핀의 위치를 고려해야 한다.

알라딘 난로 심지개조에 사용된 도구 및 장비 모습이다.

39형 심지를 15형심지로 개조한 모습이다.

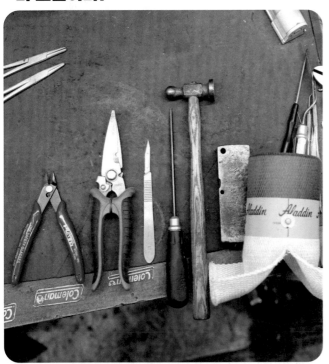

알라딘 난로 붉은 불꽃 교정 작업

알라딘난로 붉은 불꽃 교정 작업과정 1.

알라딘난로 수리 및 정비를 하다보면, 마지막 작업인 불테스트에 들어가야 한다. 새심지를 넣고, 등유를 적신 후, 불을 붙이고, 연통부를 세워닫아 불높이를 조절후, 약 30여분 지켜보면 위와 같이 붉은 불꽃이 한쪽으로 쏠리는 현상이 발생하기도 한다.

바스켓과 갤러리의 유격으로 생기는 현상인데, 알라딘 난로의 파란불꽃을 생성하는 가장 중요한 부품이 바로, 연소부 부품이다.

붉은 불꽃이 한쪽으로 쏠리는 현상은 한쪽 방향에서만 일어난다. 바스켓과 갤러리의 빈틈이 생겨 발생하는 현상인데, 긴 드라이버로 연통 하단부 갤러리를 밀어보면, 이러한 붉은 불꽃이 다른쪽으로 이동하는 것을 볼 수 있다.

연소부 부품은 1950년대 그당시 프레스가공으로 찍어서 만들다보니, 유격이 천차만별로, 어느정도 뽑기 운이 필요하다.

알라딘난로 붉은 불꽃 교정 작업과정 2.

연통부 하단 갤러리 외측부 모습이다.

갤러리 내측부 부품을 외측부에서 떼어낸 모습이다.이 내측부 갤러리 부품이 바스켓 상단부를 덮어, 공기 흐름을 원활하게하여 파란 불꽃을 유지해주는 중요한 부품이다.

갤러리 내측부 부품으로 바스켓을 덮은 모습이다. (알라딘 난로를 사용시, 심지에 불을 붙인 후, 연통부를 세워 닫는 상태로 보면 된다.)

갤러리 내측부와 바스켓 상단부가 결합된 상태의 모습인데,이때 결합된 갤러리 내측부와 바스켓 상단부가 유격으로 흔들리면, 100% 도둑공기가 침투하는 상황이다.

알라딘난로 붉은 불꽃 교정 작업과정 3.

틈 사이로 넘어오는 공기 흐름으로 인해 불안전 연소를 일으켜, 붉은 불꽃이 발생하게 된다.

하단 바스켓 날개가 갤러리 내측부에 딱! 맞지않고 빈틈이 생긴 모습을 빨간원에서 확인 할 수 있다.

아래 빨간원에서 볼 수 있듯, 빈틈 없이 완벽하게 갤러리 내측부와 바스켓 상단날개 테두리가 밀착된 모습이다. 이렇게 바스켓 전체 원형 테두리의 밀착도가 파란 불꽃을 보여주는 아주 중요한 요소가 된다.

빈틈 없이 완벽하게 갤러리 내측부와 바스켓 상단날개 테두리가 밀착되었다면, 불꽃은 안정적으로 파란 불꽃을 보여주게 된다.

알라딘난로 붉은 불꽃 교정 작업과정 4.

하단 바스켓 날개가 갤러리 내측부에 맞지 않고,빈틈이 생긴 모습을 빨간원에서 확인할 수 있는데,이러한 상태에서 심지를 끼워 넣고 불을 붙인 다음 불꽃을 확인해 본다면 오른쪽 이미지와 같은 불꽃을 볼 수 있다.

대체적으로 이러한 증상이 심하면, 여분의 바스켓부품 구해서,가장 빡빡하게 갤러리에 맞는 바스켓으로 교체하면 붉은 불꽃을 사라지게 된다.

빈틈사이로 도둑공기가 밀려들어와 원할한 연소부 공기 흐름의 균형이 틀어져, 틈새가 있는 부분쪽에 붉은 불꽃이 치우치며, 발생하게 된다.

그러나, 여분의 바스켓부품을 구할 수 없다면 아래 이미지 방법으로 갤러리 내측부 부품을 고무망치와 묵직한 수평판을 이용해서 교정하는 작업으로 붉은 불꽃현상을 해결할 수 도 있다.

알라딘난로 붉은 불꽃 교정 작업과정 5.

갤러리 내측부 부품을 묵직한 수평판 상/
하 사이에 끼워넣고, 고무 망치로 골고루
두둘겨 준다. 갤리리 상단부가 어느 정도
눌러져야 하는 작업이다.

어느정도 눌러진 갤러리 상단부를 조금더
눌러줘야 하기에, 상단판을 빼버리고, 직
접적으로 고무망치를 이용해서 갤러리 상
단 테두리부를 두들겨 준다.

갤러리 내측 상당부 테두리 구멍을 기점으
로 바스켓 상단 날개 테두리가 위치하도록
갤러리를 눌러준 모습이다.(이러한 작업의
방법과 이해는 다음페이지를 보면 보다 쉽
게 이해가 빠를거다.)

두들기기 전,갤러리 와 바스켓의 틈사이를
볼 수 있다.

알라딘난로 붉은 불꽃 교정 작업과정 6.

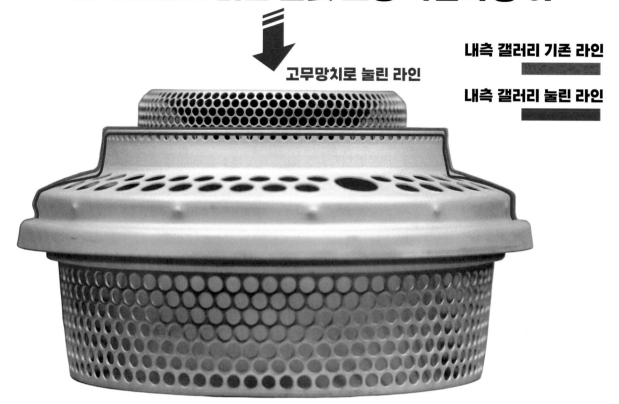

고무망치로 눌린 라인

내측 갤러리 기존 라인

내측 갤러리 눌린 라인

갤러리 내측부와 바스켓 상단부 틈사이를 해결하는 이해도 페이지다. 사실, 갤러리 내측부와 바스켓 틈사이의 문제점이 발생하는 이유는 바스켓 상단 날개 테두리 면적이 작기 때문이다. 바스켓 날개 면적을 인위적으로 넓힐 수 없는 구조이기에, 차선책으로 갤러리 내측부 상단, 비탈진 원지름을 낮추어 바스켓 날개면적(원지름) 사이즈에 맞추는 작업이다. (높이를 낮추는 한계라인은 갤러리 내측 공기통로 구멍 하단까지만 가능하다. 그이상 눌러 낮추게되면, 원할한 공기 흐름이 이루어 지지않아 불안전한 붉은 불꽃이 일어난다.)

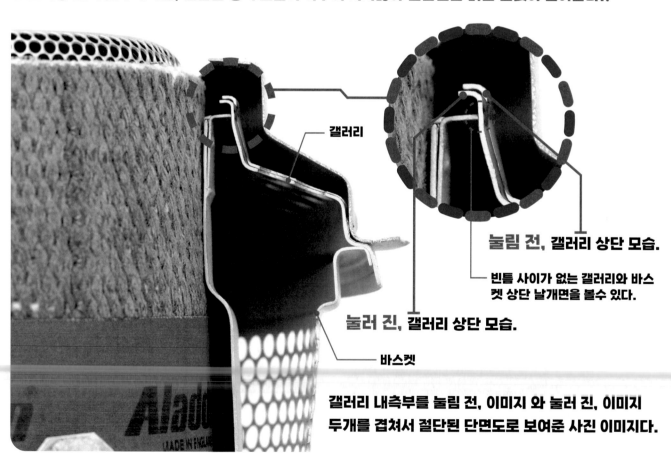

갤러리

눌림 전, 갤러리 상단 모습.

빈틈 사이가 없는 갤러리와 바스켓 상단 날개면을 볼수 있다.

눌러 진, 갤러리 상단 모습.

바스켓

갤러리 내측부를 눌림 전, 이미지 와 눌러 진, 이미지 두개를 겹쳐서 절단된 단면도로 보여준 사진 이미지다.

알라딘난로 붉은 불꽃 교정 작업과정 7.

흐름을 방해하는 도둑공기.

정상적인 흐름의 공기.

갤러리 내측부와 바스켓 틈사이의 문제점이 공기 흐름에 어떠한 영향을 주는지를 보여주는 페이지다.

상단 갤러리부품과 하단 바스켓 부품을 결합 후, 틈사이가 벌어진 상황에 알라딘 난로 공기 흐름도를 각각의 화살표로 표현을 해본다. 노랑색 화살표의 공기 흐름도를 보면, 갤러리와 바스켓 날개 틈사이로 도둑공기의 흐름도를 표현한 상황이다. 파랑색 화살표는 정상적인 공기 흐름도를 표현한 상황이다.

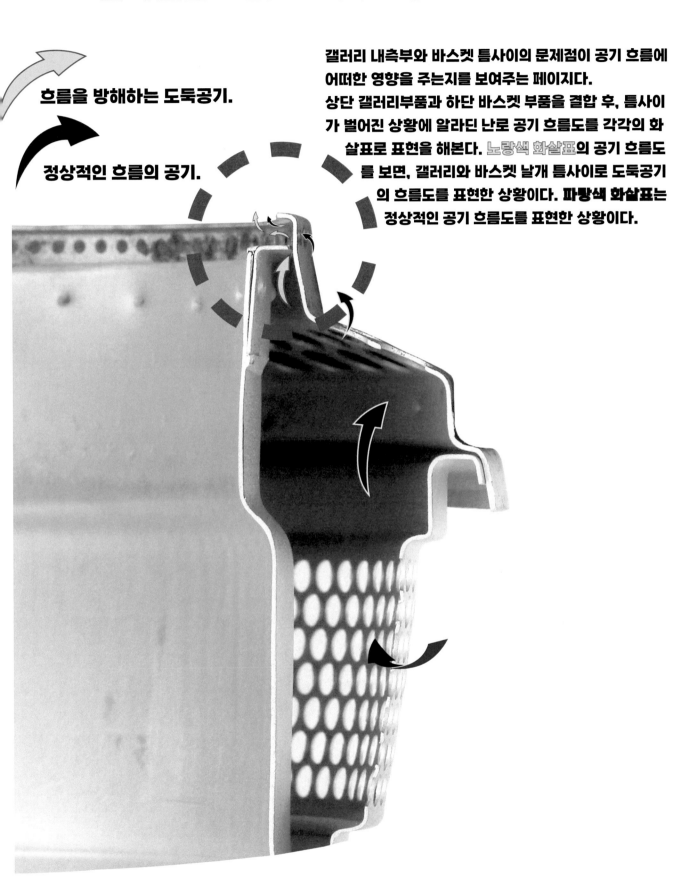

갤러리 내측부와 바스켓 상단 가이드 틈새가 헐거운 상태.

알라딘난로 붉은 불꽃 교정 작업과정 8.

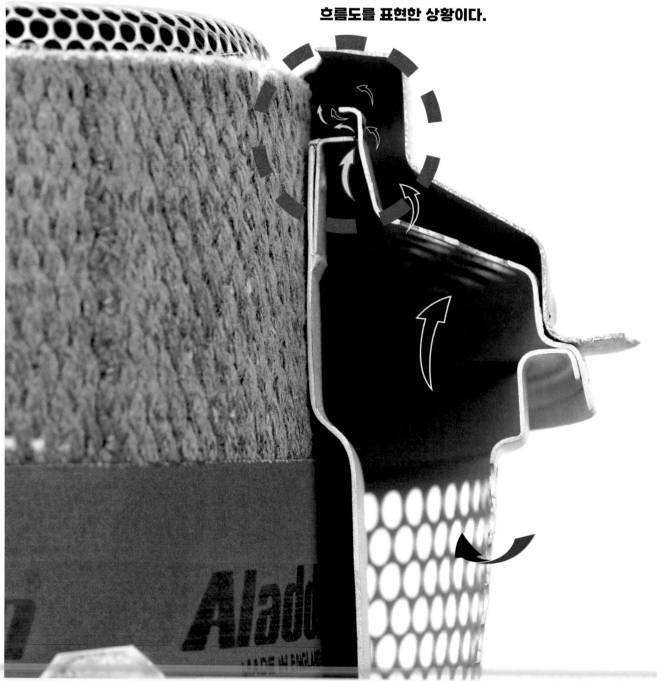

흐름을 방해하는 도둑공기.

정상적인 흐름의 공기.

갤러리 내측부와 바스켓 틈사이의 문제점이 공기 흐름에 어떠한 영향을 주는지를 심지와 스프레더 및 갤러리 외부 덮개까지 끼워져 있는 실제 모습을 보여주는 페이지다. 상단 갤러리부품과 하단 바스켓 부품을 결합 후, 틈사이가 벌어진 상황에 알라딘 난로 공기 흐름도를 각각의 화살표로 표현을 해본다. 노랑색 화살표 의 공기 흐름도를 보면, 갤러리와 바스켓 날개 틈사이로 도둑 공기의 흐름도를 표현한 상황이다. 파랑색 화살표 는 정상적인 공기 흐름도를 표현한 상황이다.

갤러리 내측부와 바스켓 상단 가이드 틈새가 헐거운 상태.

알라딘난로 붉은 불꽃 교정 작업과정 9.

반복적으로, 갤러리 상단부의 테두리를 고무망치를 이용해서 두들겨, 테두리의 부분별 눌림상태가 수평이 되도록 체크한다.

테두리의 눌림상태 체크는 고무망치로 가볍게 두들긴 후, 하단 바스켓 부품을 끼워보면서 바스켓 상단날개면이 갤러리 내측부에 틈새없이 밀착 되는지 확인하면 된다.

다만, 갤러리 눌림상태 체크 중 눌림의 한계라인선이 존재한다.그 라인선은 갤러리 내측부 공기통로 구멍이 가려지지 않는 범위내에서만 두들겨서 눌러야 한다.

아래, 빨간 원안의 이미지처럼 갤러리 내측 공기 통로 구멍이 바스켓 상단 날개 면으로 가려져버리면, 원할한 공기흐름을 방해해서 파란불꽃이 간헐적 및 반복적으로 흔들리는 현상이 발생하게 된다.

알라딘난로 붉은 불꽃 교정 작업과정 10.

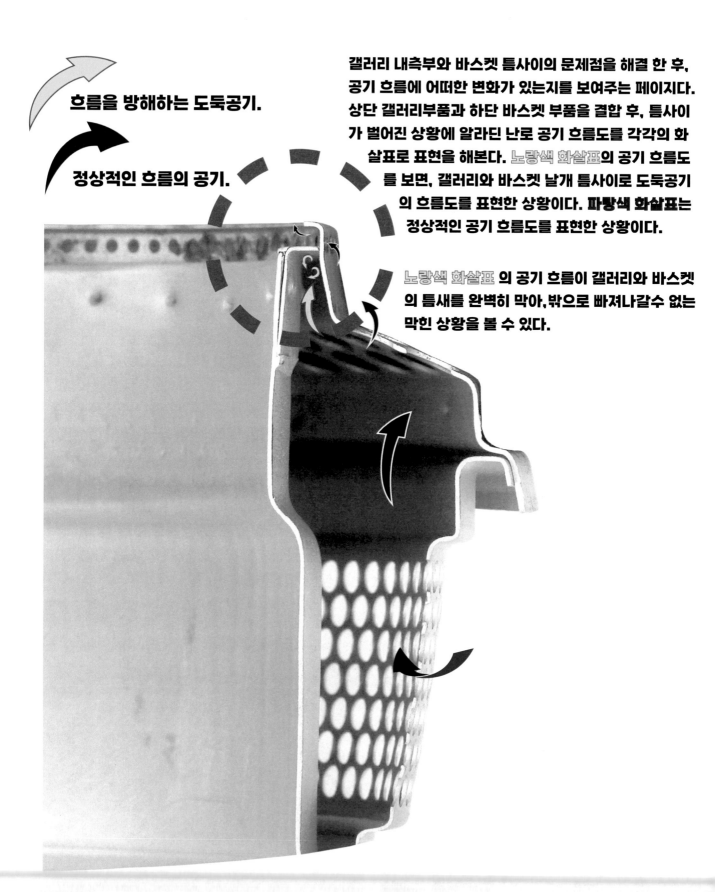

흐름을 방해하는 도둑공기.

정상적인 흐름의 공기.

갤러리 내측부와 바스켓 틈사이의 문제점을 해결 한 후, 공기 흐름에 어떠한 변화가 있는지를 보여주는 페이지다. 상단 갤러리부품과 하단 바스켓 부품을 결합 후, 틈사이가 벌어진 상황에 알라딘 난로 공기 흐름도를 각각의 화살표로 표현을 해본다. 노랑색 화살표의 공기 흐름도를 보면, 갤러리와 바스켓 날개 틈사이로 도둑공기의 흐름도를 표현한 상황이다. 파랑색 화살표는 정상적인 공기 흐름도를 표현한 상황이다.

노랑색 화살표 의 공기 흐름이 갤러리와 바스켓의 틈새를 완벽히 막아, 밖으로 빠져나갈수 없는 막힌 상황을 볼 수 있다.

갤러리 내측무와 바스켓 상단 가이드가 딱맞아 틈새가 없는 상태.

알라딘난로 붉은 불꽃 교정 작업과정 11.

갤러리 내측부와 바스켓 틈사이의 문제점을 해결 한 후,공기 흐름에 어떠한 영향을 주는지를 심지와 스프 레더 및 갤러리 외부 덮개까지 끼워져 있는 실제 모습 을 보여주는 페이지다. 상단 갤러리부품과 하단 바스 켓 부품을 결합 후,틈사이가 벌어진 상황에 알라딘난 로 공기 흐름도를 각각의 화살표로 표현을 해본다. 노랑색 화살표 의 공기 흐름도를 보면,갤러리와 바스 켓 날개 틈사이로 도둑 공기의 흐름도를 표현한 상황 이다. 파랑색 화살표 는 정상적인 공기 흐름도를 표현 한 상황이다.

노랑색 화살표 의 공기 흐름이 갤러리와 바스켓의 틈새를 완벽히 막아, 밖으로 빠져나갈수 없는 막힌 상황을 볼 수 있다.

흐름을 방해하는 도둑공기.

정상적인 흐름의 공기.

갤러리 내측부와 바스켓 상단 가이드가 딱맞아 틈새가 없는 상태.

알라딘 난로 등유 관련 고찰

알라딘 난로 등유 넣는 량.

가을이 오면 알라딘 난로를 사용하는 계절이 시작된다. 사용전, 등유를 충분히 넣고 사용을 하는데, 알라딘 난로는 요즘의 반영구적으로 사용할 수 있는 유리섬유 심지가 아닌, 전체가 면으로 만든 면심지로, 등유 용량에 따른 심지수명의 차이가 있다.

이번 페이지는 등유량에 따라 달라지는 심지 수명에 대해 이야기 해보고자 한다.

등유를 연료통 최대치로 넣은 상태의 모습이다.

알라딘 난로는 무조건 최대치 용량으로 등유를 넣어 사용하는게 면심지를 오래도록 사용하는 방법 중 하나다.

간단한 원리의 예제를 들어본다. 알콜램프를 상상해보자. 투명한 알콜램프에 면심지가 바닥까지 내려와져 있다. 알콜램프에 알콜이 가득한 상태라면, 심지는 알콜을 끌어올려 불꽃에 보내준다. 장시간 사용을 하다보면, 알콜램프의 알콜량은 줄어들게 된다. 알콜램프의 알콜이 점점 줄어들면서 바닥을 보일때쯤, 불꽃은 심지가 알콜을 제때 올려주지 못하는 상황이 발생한다. 이러한 상황에 불꽃은 꺼지지 않으려고, 천천히 올라오는알콜을 기다리지 못하고, 심지를 태워 버티게 되는 현상을 그대로, 알라딘 난로의 심지에 적용해보면, 정답이 나온다.

등유가 연료통 반만 남은 상태의 모습이다.

알라딘 난로를 사용할 때, 항상 F"선까지 등유를 가득 넣고 사용을 시작한다. 이후, 장시간 사용 중 등유가 1/2선을 넘어서는 찰나에 다시, 등유를 F"선까지 가득 넣어주면 된다.

이렇게 사용을 하면, 심지는 약 2년반 이상을 더 사용 할 수 있는 기간이 연장된다. 기본적으로 연료가 바닥을 보일정도로 사용하면 대략, 1년에서 1년반 정도 심지 하나를 사용하게 된다. 여기에 가득 넣고, 반쯤 떨어졌을 때, 다시 가득 넣어 사용을 하는 습관을 들이면, 통상 3년이상을 심지 한개로 사용이 가능한다. 이건, 실제 10년을 사용하면서, 테스트를 진행해본 결과이다.

등유가 연료통에 거의 없는 상태의 모습이다.

난로 등유 보관 방법.

등유는 산소와 접촉을 하면 변질이 일어나기 시작한다.
통상적으로 햇볕이 들지 않는 그늘인 장소와 공기가 잘 통하는 서늘한 곳에 보관을 하면,
대략 1년 ~ 2년까지는 크게 변질되거나 변색되지 않는다. 절대로 햇볕에 노출은 치명적
인 변질과 변색이 발생한다. 변질과 변색이 발생한 등유는 절대로 난로용으로 사용을 금
한다. 이유인즉슨, 엄청난 카본슬러지와 메케한 냄새, 불안전한 불꽃으로 일산화탄소를
무한 발생하는 원인이 되기때문이다.

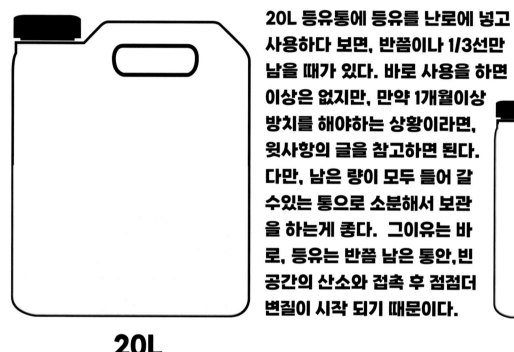

20L 등유통에 등유를 난로에 넣고
사용하다 보면, 반쯤이나 1/3선만
남을 때가 있다. 바로 사용을 하면
이상은 없지만, 만약 1개월이상
방치를 해야하는 상황이라면,
윗사항의 글을 참고하면 된다.
다만, 남은 량이 모두 들어 갈
수있는 통으로 소분해서 보관
을 하는게 좋다. 그이유는 바
로, 등유는 반쯤 남은 통안,빈
공간의 산소와 접촉 후 점점더
변질이 시작 되기 때문이다.

20L   10L

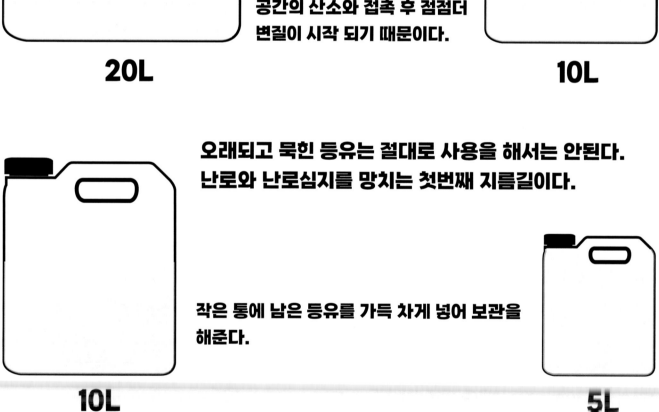

오래되고 묵힌 등유는 절대로 사용을 해서는 안된다.
난로와 난로심지를 망치는 첫번째 지름길이다.

작은 통에 남은 등유를 가득 차게 넣어 보관을
해준다.

10L   5L

알라딘 난로 삼계절 보관방법.

등유

따뜻한 계절이 돌아오면 알라딘 난로를 더이상 사용하지 않고 보관을 해야 하는 시기가 온다. 보통의 유리 섬유심지 난로들은 등유를 모두 태워주면, 심지청소 및 보관을 바로 하면된다. 반면, 알라딘 난로는 면심지 기때문에 심지태우기 작업을 하면 안된다. 등유를 모두 빼고 보관을 해도 되지만, 등유를 모두 빼낸다면, 심지도 빼내어 따로, 등유를 날린 후 보관하면 된다. 이방법이 번거러운건 심지를 빼고, 다시 끼워야 하는 난감한 상황이 발생하기에, 또다른 방법을 추천한다.

보관시 등유를 반쯤 넣어두고, 햇볕이 없고, 그늘지고, 선선한 곳에 보관을 하면 된다. 한달에 한번정도 핸 드휠을 상/하 로 돌려 심지의 자리 이동을 시켜준 후, 핸드휠을 돌리다보면, 중간에 허당구간(무부하상태) 을 만나게 된다. 이 구간에 항상, 핸드휠을 정렬해 두면, 핸드휠 나사에 부담을 덜어줘 오래도록 사용할 수 있는 중요한 팁이다. 이후, 알라딘 난로를 사용하는 계절이 오면, 보관시, 넣어둔 등유는 모두 최대한 빼내 어 폐기 시킨 후, 새등유를 가득 넣어 불을 붙여 사용을 해주면, 심지의 묵힌 등유가 어느정도 희석되어 사용 하는데, 아무런 문제가 되지 않는다. *(알라딘 난로 39형은 핸드휠을 상/하 로 돌리고, 내려주면 끝난다.)

* 등유를 반쯤 넣고 보관시, 심지를 상/하 자리 이동을 해주는 이유는 심지가 중앙슬리브에 고착되지 않도록 하기위함이다. (알라딘난로는 등유를 빼고 보관하면, 심지가 중앙슬리브에 고착되는 현상이 발생한다.)

* 알라딘 난로는 면심지로 만들어져 있어, 일반적인 등유난로처럼, 연료통에 남은 '등유 태우기' 작업을 진행 하면, 면심지 모두를 태워버리는 상황이 발생한다. (일반적인 등유난로 심지는 유리섬유로 만들어져 타지 않는다.)

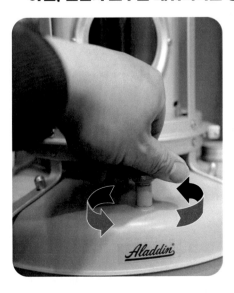 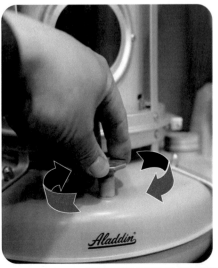 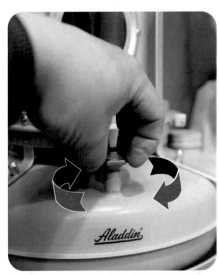

* 핸드휠을 돌리다보면, 중간에 허당구간(무부하상태)을 느낄 수 있다.

색상으로 보는 등유 상태
확인 방법

등유 변질색상에 따른 고찰 1.

1개월.　　　6개월.　　　3년이상.　　　5년이상.　　　10년이상.

난로에 사용되어지는 등유의 시감별 변질색상 차이를 보여주는 페이지다. 등유의 신선도에 따라, 난로의 심지가 재기능을 하는데, 대부분 이러한 분분은 간과해 버리는 상황이다. 괴장히 중요한 부분이며, 등유의 변질에 따른 일산화탄소 및 난로를 가동 시, 냄새와 밀접한 관계가 있다는 것을 설명하는 페이지 이기도 하다.

1개월 : 주유소마다 회전율이 있기에, 1개월 정도의 기간을 주더라도, 가장 투명하고 깨끗한 상태의 등유 품질의 색상으로 판정한다. 심지에 카본이 쌓이지 않는 조건의 쾌적함이 있다. 심지에 카본이 쌓이는 시점은 대략, 15 ~ 20일 정도로 심지청소 주기가 돌아온다. 메케하거나, 등유에서 직접적인 구린 냄새는 없다.

등유 변질색상에 따른 고찰 2.

6개월 : 1 개월의 등유에 비해, 투명도가 서서히 탁해지는 색상을 볼 수 있다.
일반적인 사용자는 등유통이 하나이기 때문에 구별을 못한다. 심지에 카본이 쌓이는 시점이
 조금씩 당겨진다.
심지에 카본이 쌓이는 시점은 대략, 8일 ~ 10일 정도로 심지청소 주기가 돌아온다.
메케하거나, 등유에서 직접적인 구린 냄새가 아직까지는 없다.

3년이상 : 노랑 빛으로 변색이 되어 보인다면, 과감히 폐기처분을 하는게 난로의 연료통과
심지에 데미지를 주지않는 최선의 방법이다. 두번노을 볼일 수 없는 단계이다.
심지에 카본이 쌓이는 시점은 대략, 2시간 ~ 4시간 정도다. 급격히 쌓인 카본으로 불
꽃이 사그라든다. 메케한 냄새가 나며, 등유에서 변질된 구린 냄새도 난다.

등유 변질색상에 따른 고찰 3.

5년이상 : 황색에 가까운 빛으로 변색이 심하다. 과감히 폐기처분을 해야하며, 난로의 연료통에 찌들기 시작한다. 심지에게는 치명적인 수명단축과 엄청난 카본이 쌓이게 된다.

심지에 카본이 쌓이는 시점은 대략, 30분에서 ~ 1시간이내, 급격히 쌓이며 불이 사그라든다. 메케한 냄새가 엄청나다. 등유에서 변질된 구린 냄새도 심하게 난다.

10년이상 : 갈색에 가까운 빛으로 변색 및 변질이 심하다. 폐기처분을 해야하며, 난로의 연료통에 넣으면 안된다. 심지에게는 치명적인 수명단축과 엄청난 카본이 쌓이게 된다.

심지에 카본이 쌓이는 시점은 대략, 20분쯤이면 카본에 뒤덮혀, 불꽃이 사그라든다. 메케한 냄새가 엄청나다. 머리가 아플정도이며, 변질된 특유의 찌들고 구린 냄새도 심하게 난다.

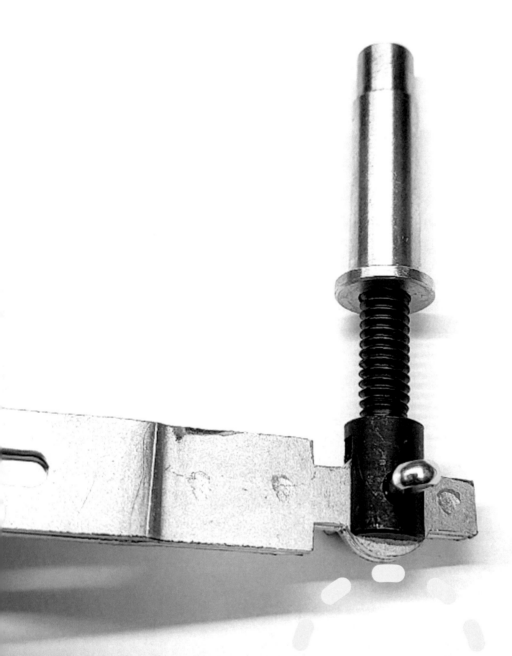

핸드휠 회전축 나사선 부품 고찰

핸드휠 회전축 나사선 부품 고찰 1.

알라딘 난로 15형 시리즈의 핸드휠 방식은 앞장에서 자세히 설명을 올렸지만, 심지를 상 / 하 이동하는 회전축의 나사선에 대한 고찰을 한번 더 설명할 필요가 있어 페이지를 다시 써본다.

핸드휠을 돌리다보면, 중간에 허당구간인 무부하 상태의 원리를 좀더, 디테일하게 설명을 올릴 예정이다.

외측 암나사 안쪽에 상 / 하 이동을 제한 하는 볼트가 더이상 내려가지 않게 턱이 져 있다.

↻ 시계방향으로 돌리면 심지가 올라간다.

숫나사가 풀린다.

심지가 올라간다.

심지 상/하 이동라인을 제한 하는 볼트가 박혀있다.

↺ 시계 반대방향으로 돌리면 심지가 내려간다.

숫나사가 잠긴다.

심지가 내려간다.

핸드휠 회전축 나사선 부품 고찰 2.

알라딘 난로 15형 시리즈의 연료통 안에 들어가는 핸드휠 관련 부품들의 모습이다. 방식은 앞장에서 보여주듯, 지렛대 원리로 심지를 상 / 하 이동 시켜주는 방식이다.

핸드휠의 회전축의 부품인 숫나사와 암나사의 부품을 디테일하게 보여주는 아래 이미지를 참고하기 바란다.

철재질 숫나사와 황동 재질 암나사가 핸드휠을 시계방향과 시계반대방향으로 상 / 하 이동 하며,심지를 올려주고 내려주는 역할을 하는 구조이다.

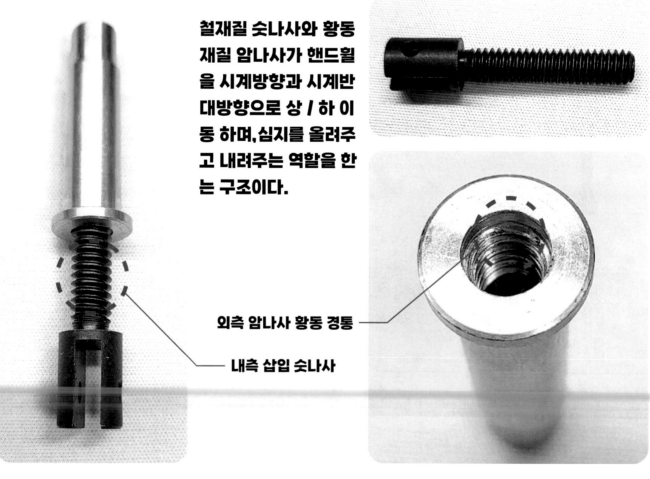

외측 암나사 황동 경통

내측 삽입 숫나사

핸드휠 회전축 나사선 부품 고찰 3.

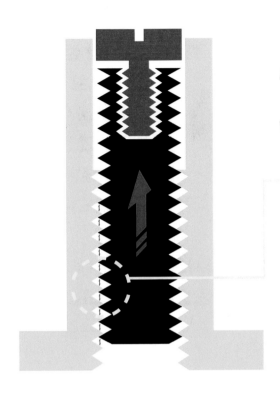

황동재질 철재질

숫나사 와 암나사의 나사선 간격이 넓은 종류로 나사선 빈틈사이의 궤적인, interval space로 인해, 핸드 휠을 회전 시, 나사선 간격의 빈 구간 (empty) 이 발생한다.
이 나사선 사이공간 (interval space) 을 이용 해서, 숫나사와 암나사가 맞물리는 물리적인 압박 시점을 피해 주면, 각각의 나사선 마모가 덜 발생하는 조건이 생성된다.

좀더, 쉽게 설명을 하면, 핸드 휠을 시계 방향과 반시계 방향으로 돌리면, 숫나사는 황동재질 암나사 사이를 상/하로 이동을 하게된다. 옛방식의 나사선들은 간격이 넓기 때문에, 상/하 회전이 시작 되는 순간은 나사선 빈공간 틈이 넓기 때문에 잠시, 허당 구간 이 발생하는 단계가 생긴다.

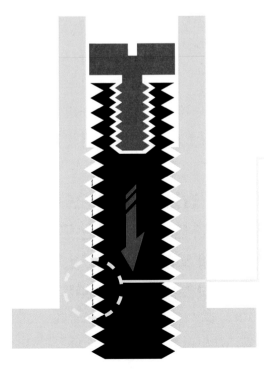

황동재질 철재질

empty 어휘등급
1. 형용사 비어 있는, 빈
2. 형용사 공허한, 무의미한 (=hollow)
3. 동사 (그릇 등에 든 것을) 비우다
4. 동사 비게 되다, 비다

핸드휠 회전축 나사선 부품 고찰 4.

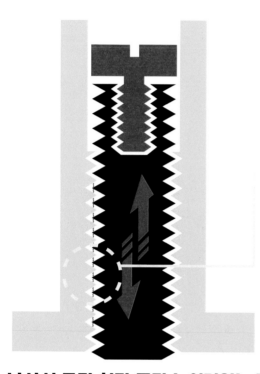

황동재질 / 철재질

핸드 휠을 시계 방향과 반시계 방향으로 돌려, 심지를 상/하로 이동 시킨 후, 나사선의 빈공간 틈이 생기는 시점의 허당구간에 항상, 핸드휠을 놓아 두면 나사선 사이의 마찰계수가 없는 공간으로 핸드휠의 숫나사 와 암나사의 좋은 상태를 오래도록 유지시켜 고장없이 사용할 수 있는 중요한 팁이다.

나사선 중간 허당 구간 놓여져있는 곳.

핸드 휠을 시계 방향과 반시계 방향으로 돌려, 심지를 상/하로 이동 시킨후, 나사선의 빈공간 틈이 생기는 시점이 아닌, 지속적인 숫나사와 암나사가 맞물려 부하가 생기는 구간에 방재질은 철재질로 쉽게 변형이

치를 하게되면, 숫나사 의 오지는 않는다.

다만, 암나사는 황동 재질로 재질의 특성 상 철보다 무른 성격 의 비철금속으로 나사 선이 서서이 뭉개지는 악 조건이 발생하게 된다.

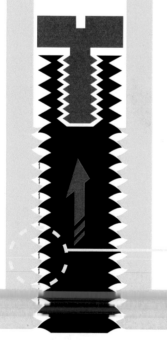

황동재질 / 철재질

이러한 상황이 오랜시간동안 지속적으로 반복되면, 암나사의 나사선이 털리게 되어 핸드휠이 재기능을 못하고, 심지를 밀어, 올려 주거나 내려주지 못하는 난로의 고장증상이 발생하기도 한다.

나사선들이 압력(부하)에 의한 뭉개진 상황.

알라딘 난로 구형 부품들 소개

스프레더 종류별 구분 1.

알라딘 난로 15 시리즈에 가장 많이 보여 지는 스프레더 부품 모습이다. 가운데 작은 구멍(홀)이 나있으며, 가운데로 비탈져 내려가는 형태다.

알라딘 난로 구형방식인 50년대에 가장 많이 보여지는 스프레터 형태이다. 가운데 작은 3 개의 구멍과 평평한 수평면이 있는 구조다.

황동재질이 아닌, 알루미늄 재질의 스프레더다. 일본의 지진 대비 장치가 끼워 지는 중앙 홀의 사이즈가 큰 구멍이 특징이다.

알라딘 난로 연소부 부품중 하나인 다양한 스프레더 부품 모습을 볼 수 있다. 구형과 신형의 차이점과 1930년대 후반의 스프레더 부품과 알라딘 난로 8 시리즈의 타각 숫자가 적힌 스프레더도 볼 수 있다.

숫자 "8"이 타각된 스프레더이다. 알라딘 난로 8 시리즈 의 특징이기도 하다. 1940년대 초기형 난로다.

아래 이미지의 스프레더가 알라딘 난로 초기모델의 스프레더 모습이다.
1938년 모델에서만 아주 가끔, 볼 수 있는 희소성이 있는 스프레이더인데, 파란불꽃을 완벽히는 구현하지 못한다. 이후, 스프레더 상단부가 비탈진 사선으로 변경되어져, 안정된 불꽃을 보여준다.

스프레더가 사선각이 아닌, 직각을 이루는 특이한 구조이다.

크리너/원형판/엣지/범랑부품 구분 2.

알라딘 난로 연소부 중앙 슬리브에 끼워 사용하는 심지 청소용 (크리닉) 기구다. 50년대 구형방식은 철 재질로 만들어져 나왔다. 현재는 플라스틱재질로 만들져 나온다.

알라딘 난로 15형 난로 받침대다. 아시아쪽에서만 발매된 원형 받침대다.아시아문화가 신발을 벗는 문화로 등유가 바닥에 세어 묻지않게하기 위함이다.

알라딘 난로 구형프레임에서만 볼수 있상단부 엣지 4곳의 황동부품(크롬도금된)악세사리다. 상단 연통부를잡아주는 보일링도 범랑재질이 특징이며,상판을 열고, 냄비를 올려 요리를 할수있다.

ALADDIN HEATER
파트별 정비과정

연료통 작업과정

약품에 불리고, 토치질을 조심스럽게 진행하면서, 최대한 생체기 자국이 안나도록 해야 하는게 관건.

대부분 처음상태는 모두, 심지가 연료통 중앙 슬리브에 고착되어있고, 바스켓 역시, 함께 고착되어,꿈쩍도 안하는상태로 온다.

그이후, 심지를 올려주는 지렛대걸쇠가 잘움직이는지를 확인해야 한다.

바스켓과 고착된 오래된 심지를 떼어내는 작업.

오랜세월에 찌든, 연료 찌꺼기들.

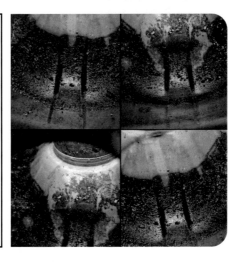

생각만큼,고착된 부위를 떼어내는 작업과정이 만만치 않다.

찌든 등유 찌꺼기를 약품을 이용해서 녹여야 한다.

히터라인 아래에서 열풍과약품이 찌든때를 녹이는 작업을 장시간 반복한다.

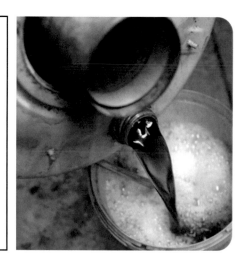

샌드 블라스트 기기에 넣고,

투명한 약품은 검정색으로 변한다.

모래와 에어로 연료통 내측부를 무한, 쏴서 털어낸다.

약품으로 찌들었던 슬러지를 벗겨낸 후, 히터라인에서 완벽히 연료통내측부를 건조시킨다.

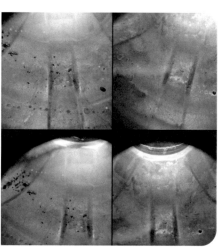

내측부 털어낸 모습을 봐본다.

다음단계는 연료통 내측부면을 한번 더, 면밀히,털어내는 작업이다.

깨끗하게 털어낸 내측부모습이다.

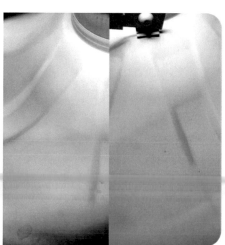

중앙 심지를 끼
운 슬리브 라인
을 폴리싱 작업
을 진행 한다.

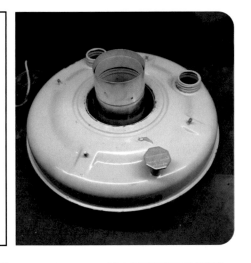

연통부 하단의
갤러리 내측부
모습이다.
심지에 불을 붙
이고, 닫는 단계
에서 발생하는
그을음 자국이
다.

새심지의 상/하
이동을 부드 럽
게하기 위한작
업이다.

갤러리 고정 클
립 세개를 떼어
낸 상태.

연통부 작업과정

갤러리 상단부
에 오랜시간쌓
인 먼지들.

통부를 분해하
려면, 고정클립
세개를 조심스
럽게 떼어내야
한다.

그을음을 털어
내기전 모습이
다.

연통부 상단,연통부를 고정 하는 보일링과 갤러리 부품.

샌드 블라스트 기기에 넣고,하나, 하나씩, 녹을 털어내는 작업을 진행한다.

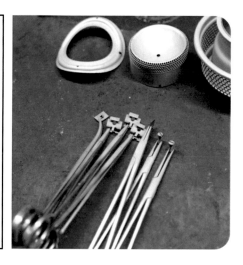

각각의 고정용 볼트와 와샤너트. 그리고, 녹 쓴 고정 클립.

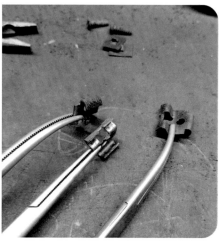

샌딩작업이 모두 끝낸 클립과 볼트&와샤너트

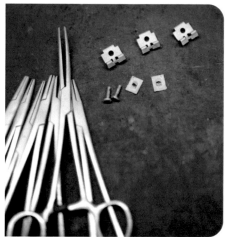

운모창틀.

바스켓과 스프레더.갤러리까지 모두 찌든기름때와 먼지를 털어낸 황동빛 색상을 보여준다.

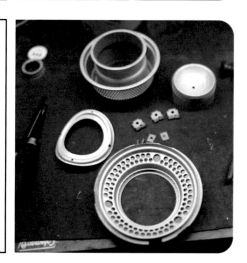

포셉 집게로, 하나, 하나 고정 시킨다.

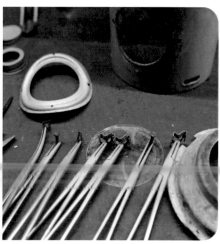

운모창틀 상태.

갤러리 내측부
상태 확인.

녹을 제거하고,
방청작업의 단
계로 보면된다.

내열 페인트로
도장면을 분별
해서 도장작업
후,히터라인아
래에서,건조시
킨다.

조립전 모습.

갤러리 상단외
측부도 내열페
인트로 도장작
업을 한다.

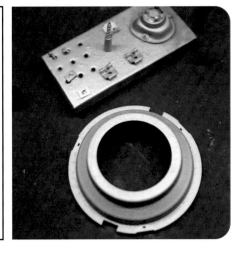

갤러리 내측부.

클립도 내열도
장 작업.

연통부를 먼저,
깨끗히 닦아낸
후,새운모창을
준비 한다.

새 운모창

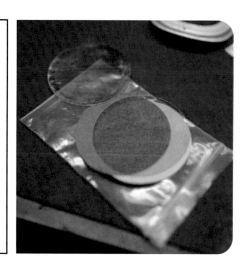

연통부에 고정
된 갤러리 모습.

운모창틀과 볼
트 & 와샤너트
로 고정시킨 모
습.

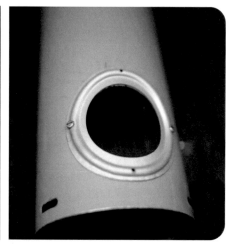

갤러리 내측부
모습.

연통하단부 갤
러리를 조립 할
차례다.

갤러리 내측부
의 그을음없이
사용하는방법
이 있다.

정방향에 맞춰,
클립으로 갤러
리를 끼운 후,
단단히 고정시
킨다.

연통부가 완성
된 모습이다.

연통부 상단 보일링 고정 방법

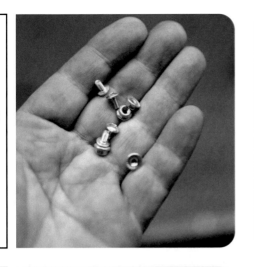

심지 외측부가 이면을 비비고, 올라가고, 내려가야하는 통로다.

고정은 리벳 이 아닌 볼트온 방식으로 추후, 연통부를 분해해서 꺼낼수 있도록, 녹이 쓸지않는 스텐 볼트 & 너트로 조립을 해둔다.

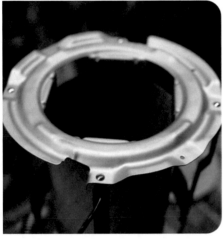

이정도 찌든상태라면, 새심지를 넣고도, 상/하 움직임은 이루어지지 않는다.

연소부 중요부품 (바스켓 & 스프레더) 작업 과정

스프레더 상태.

연료통에서 고착된 바스켓을 분리한 상태모습이다.

알라딘난로 파란불꽃의 디테일은 바스켓과 스프레더 및 갤러리에 뚫려있는 구멍이 공기통로 역할을 한다.

약품으로 1차찌 든때를 벗긴 후, 건조 후, 2차로 샌드 블라스트 기기에 넣고, 깊게 찌든때를 벗겨 낸다.

새심지가 원할하게, 상/하 이동을 위해, 한 번 더, 바스켓 내측부 폴리싱 작업을 진행한다.

2차 샌드블라스트 작업 후, 3차 비드샌딩작업을 위한, 또다른 샌드블라스트기기로 부품을 이동 후, 다시한번 쏴주면서, 부품 표면을 정리 해준다.

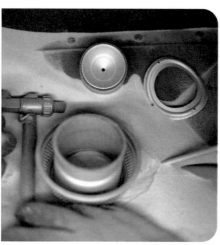

내 / 외측부 표면을 완벽히 정리된 상태의 바스켓.

반광과 표면을 매끄럽게 정리된 스프레더 모습이다.

두단계 샌딩작업으로 바스켓 표면을 정리된 모습이다.

바스켓도 비드샌딩 작업으로 표면을 부드럽게 정리된 상태다.

바스켓 내측부는 반드시 폴리싱 작업을 거쳐야 새심지의 원할한 상 / 하이동이 부드럽게 되어진다.

연소부의 부품들
미리, 조립 및 조
율, 휨을 교정및
도둑공기가들어
오는지 등과 수
평 편차를 최대
한 세공 망치와
도구로 잡아 준
상태다.

기존 유량계를
복원한 후, 바로
위해, 한겹을 올
려준다.

유량계 복원 작
업과정

더이상의 크랙
및 조각이 분실
되지않게 정리
한다.

윗면 덮개를 하
나 더, 올려 깨
진조각이나 크
렉을 막아주는
상태로 정리한
다.

통풍제어 장치
작업과정

투명한 유량계
사이즈의 아크
릴 준비한다.

연료통 하단에
서 올라오는 공
기의 흐름의 속
도를 늦쳐, 파란
불꽃의 떨림을
방지해 주는 역
할의 부품이다.

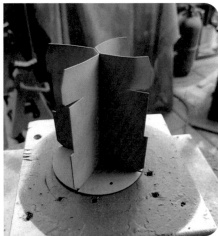

가장 많은 먼지가 쌓이는 곳이기에 최대한 털어낸 후, 방청작업으로 마물한다.

프레임 분해를 하는 진정한 이유는 바로, 틀어진 전체 센터를 맞추기 위함이다.

연료통 하단에 끼워지기에 직접적으로 눈으로 보여지지않는 부품이다.

세척과 기본 녹 제거 작업.

프레임 전체 작업과정

그라인더를 이용한 깊은녹때를 갈아낸다.

프레임이 리벳 방식이면 모두 털어 낸다. 년도별 크롬버전과 아연도금 버전이 있다.

하부 프레임 지지발이 가장 녹에 취약한 부분이다.

그을음 자국은 약품으로 세척 작업을 진행한다.

프레임을 하단부터 리베팅, 조립에 들어간다.

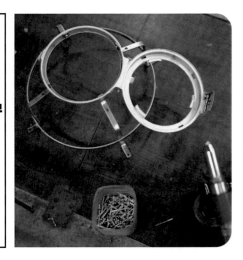

크롬 도금된 프레임은 상태에 따라 수작업으로 폴리싱 &광 작업을 진행한다.

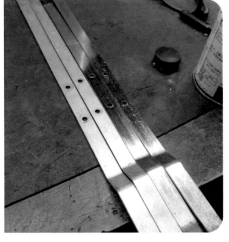

리벳팅 조립을 하기전, 프레임의 상태체크 및 휨 부분과 열고 덮는 힌지 라인을 모두,교정해 둔 상태다.

모두 오버홀 된 프레임 상태.

제대로 수평과 센터 교정작업이 이루어 지지 않는다면,파란 불꽃을 보는데 문제가 발생한다.

하단 고정 지지대에 고무발을 끼워 드린다. 방바닥에 상처나 생체기 자국이 나지 않도록.

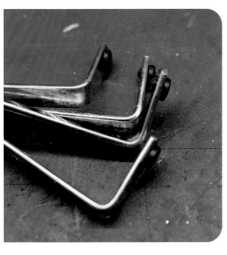

프레임 전체리벳팅 작업 시, 최대한 신중하게 작업을 진행한다.

알라딘 난로 최
종 작업과정 후,
불 테스트 작업

알라딘 난로 상
단부는 법랑이
다.
유약을 발라, 8
00도의 가마에
넣고, 굽어 만든
도기 재질이다.

새심지를 안착시
킨후 등유를넣고,
불테스트에 들어
간다.

오랜사용으로 법
랑에 크렉이나고
터져 나간다.
그부위만 잘라내
고,투명내열글로
브와 전용브라켓
으로 교체를하면,
사방에서 파란불
을 볼 수 있다.

불테스트 작업과
정중, 최대한 파
란불꽃이 안정화
되는지를 평가한
다.

반내열 글로브는
깨지지만 않는다
면, 운모창과 달
리, 오래 사용할
수 있다.

알라딘 난로 연
통부 반내열 글
로브 작업 과정

통유리로 제작
도 가능하지만,
반 내열유리로
교체하는 이유
는 알라딘 난로
전체 모습을 망
가트리지 않는
범위내에서 커
스텀 작업이다.

ALADDIN HEATER
39형 정비

국내 정식수입버전의 EMK 알라딘사 39형 정비의뢰다. 새심지 교체 및 연료통 2차 탱크부 찌꺼기 청소 및 연소부 라인오버홀 작업기 올려본다.

그을음 가득한 갤러리 내측부와 분해한 3개의 클립 모습이다.

보호망을 먼저 분리 한다.

고정 클립의 그을음 자국.

연소부 라인의 갤러리 내측부의 그을음이 한가득 하다.

상단 프레임 라인의 검정 그을음을 볼 수 있다. 사용상, 그을음이 생기지 않게 사용할 수 있는 방법이 존재한다.

연통부 하단의 클립을 제거한 후 바로 세워 본 모습 이다.

연통부 (방향) 틀어짐을 잡아주는 걸쇠 부품이다. 너트자리 외, 그을음이 가득하다.

바스켓의 오염도 체크.

바스켓 내측부 폴리싱 작업의 목적은 심지의 상 / 하 이동을 원활하게 하기 위함이다.

스프레더 역시 그을음 자국. 사용상의 오류 때문에 발생하는 문제이다.

프레스 가공으로 인해생긴 날카로운면을 다이아몬드사포로 갈아준다. 틈새에 도둑공기가 들어오면 불안정한 불꽃을 보여주기 때문에 면과끝단을 세밀하게 갈아준다.

바스켓 내측부 심지의 등이 비비고 다니는 길이다.

갤러리 와 스프레더 부품을 1차 모래 샌딩 후, 2차 비드(유리가루) 샌딩 작업 중이다.

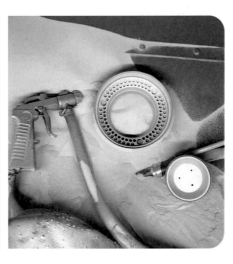

바스켓 상단부와 내측부를모래샌딩과 유리가루 샌딩으로 털어낸다.

갤러리 외측부, 표면을 매끄럽게 정리된 상태다.

스프레더 오버홀 작업이 완료된 모습이다.

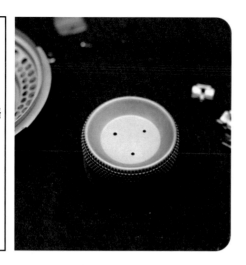

연통부 라인의 오버홀은 끝이 났다면, 이제 연료통 2차 탱크부 크리닉 작업에 들어간다.

갤러리 내측부, 오버홀 작업이 완료된 모습이다.

최대한 부유물과 찌꺼기를 빼내고, 닦아낸다.

갤러리 내측부 공기통로 라인에 이물질이나 기타 슬러지등을 완벽히 제거해줘야 불꽃의 떨림현상이 발생하지 않는다.

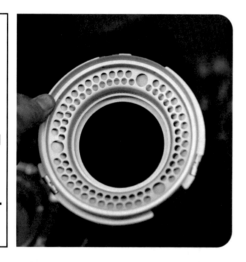

이곳이 심지의 하단부가 등유에 적셔지는 공간인데, 찌꺼기가 있다면, 등유가 변질 되어지는 문제가 발생되는 첫시발점이다.

3개 의 고정 클립으로, 연통부 하단에 갤러리 부품을 정방향에 맞춰 고정시킨다.

최대한 깨끗히 하단부를 닦아내고, 이물질을 빼내야 한다.

연료통 내측부 이물질을 모두 제거 했다면, 이제 새심지를 준비한다.

심지 외측부 홀더의 톱니와 핸드휠의 톱니 방향을 수직으로 맞춘다.

심지 홀더를 세척 후, 새심지를 끼워 넣는다.

정방향을 맞춰, 끼워 넣는다.

중앙 슬리브 라인을 깨끗이 닦아 낸 후, 새심지와 심지홀더를 끼우는 작업을 진행 한다.

상 / 하 심지홀더가 잘 움직이는지 핸드휠을 돌려 테스트 작업 진행 한다.

심지 내측부 노랑 천이 중앙슬리브 기둥 라인에 구겨지지 않게 조심히 끼워 넣어야 한다.

상단 프레임 안쪽의 그을음 자국을 세척하는 작업 과정이다.

약품과 솔로 연통부 하단,고정 걸쇠를 세척한다.

상단, 보일링을 고정 시킨다. 현, 30형 보일링 내측부에는 세라믹 필터가 끼워져 있다. 일산화탄소를 한번 더 필터링 해주는 역할을 해준다.

새까맣던, 고정 걸쇠가 원래의 색상을 보여준다.

보일링 가장자리에 끼워지는 범랑후드부 모습.

상단 프레임을 제자리에 끼운 후, 회전 힌지핀을 끼어 넣는다.

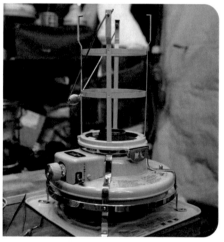

열기로 인한 찌든때를 4 인치 그라인더 광택솔을끼워 광택약을발라 밀어내야 깨끗해진다.

연통부를 상단 프레임 중앙에 끼워 넣는다.

전장 조립이 완료된 모습이다.

새심지와 심지홀더를 안착시킨후, 바스켓과 스프레더를 끼운다.

불을 붙인다.

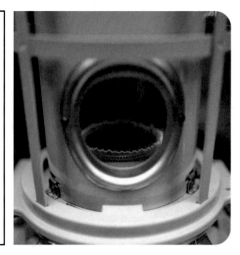

상단 프레임 안쪽과 갤러리 내측부 의 그을음 자국 없이 깨끗한 모습을 보여준다.

한,두시간 불꽃 관찰 및 심지 다듬기 작업을 진행 한다.

ALADDIN HEATER
H2201 복원

고양시 빈티지샵에서 들어온 친구다.

녹물이 한가득, 덩어리진 녹물과,진흙인지 알 수없는 모르는 상황.

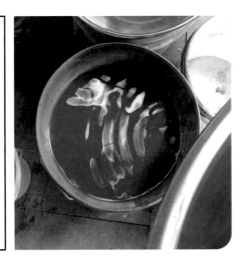

낡은 알라딘 난로가 다시금,파아란 불을 볼수 있었으면 하는 작은 바램이다.

내측 부에 있는 심지 상/하 이동 부품들은 모두, 녹쓸어 부식되어 사라져버렸다.

연료통 상 / 하부가 황동. 1950년대 기점으로 이전은 전체가황동으로 만들어진연료통.
1950년 이후버전들은,원가절감으로 연료통상단부는 철재질이다.

메이드인 잉글랜드.
연료통 하단부의 숫자들.

H 2201 이라는 짐작을 할 수 있는 연료통 전면부 지워진 라벨.

원형 핸드휠은 분해하기가 무척이나 어렵다. 몇시간을 달라 붙어,조심히 벌려 빼낸다.

보통 원형 핸드휠은 내측부에 일자 볼트 머리가 보인다.

내측부 상태를 확인 해본다.

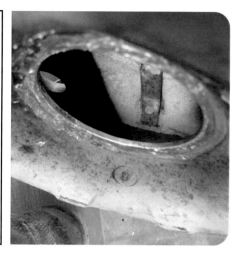

알라딘난로 복원중 개복을 하는 대공사가 진행된다.

연료통 상단부는 동 녹소가 가득하다.

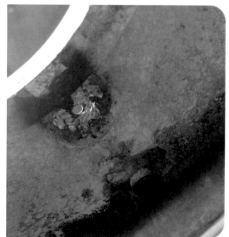

심지를 올려주는 지렛대 중앙 힌지를 분리하는 작업.

세척을 여러번했지만, 여전히 사이드로 깊게 낀 부유물 덩어리 모습이다.

거의 부식으로 삭아서 형체를 알 수 없는 유물(?) 수준이다

모래샌딩으로 장시간 털어내기를 반복, 반복 작업을 진행 한다.

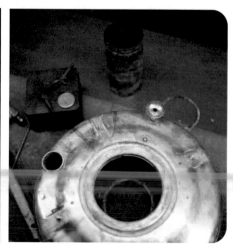

폐급부품을 이용 한, 부품 만들기 작업으로 진행될 예정이다.

지그로 사용할 15형 난로의 지 렛대 부품이다.

원형 손잡이. 역시나 1950년 대 이전 버전의 특징.

삭은 끝단에,비 슷한 두께와 너 비의 연결대 를 알곤 용접으로 붙여준다.

슬리브 단이 없 는 원통형 형태. 50년대 초반의 에 만들어진 알 라딘 난로 H22 01 모습이다.

용접 면을 갈아 내고,

심지를 올려 주 는 지렛대 중앙 힌지를 분리하 는 작업.

적당한 길이로 잘라 낸다.

지렛대의 중앙 부 분에 체결되게 구멍을 뚫어 준다.

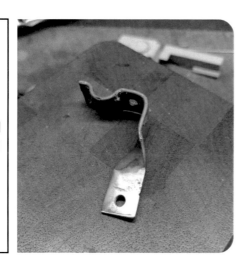

교보재 부품을 보고 복원을 해 낸 심지 상 / 하 조절 부품.

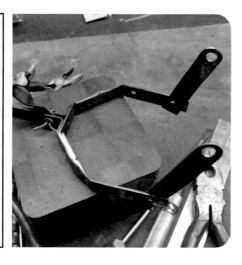

중앙 힌지 부품을 완성했다.

연료통 내부에, 끼워넣고, 조립을 완료한 모습이다.

내측에 심지를 잡아줄 Y"형태의 지지 프레임을 만들어야 한다.

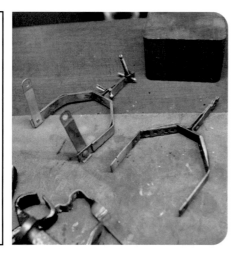

조립을 한 상태에서, 연료통내측부에 모래샌딩 작업에 들어간다.

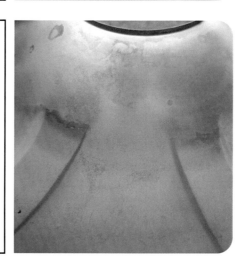

심지를 걸 수 있는 지지발을 만들어 동힌지 핀까지 고정을 끝낸다.

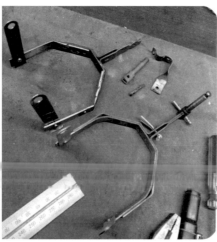

내부의 찌든슬러지와 덩어리들을 모두 제거한다.

중앙슬리브는 그 사이,모래샌딩과 폴리싱 작업까지 정리를 해둔상태다.

중앙슬리브를 정위치에 고정시켰다면, 그다음과정은 슬리브에 폴리싱 작업을 진행한다.

연료통 내측부품들을 모두집어넣고, 작동 테스트까지 끝낸상태에, 중앙 원통 슬리브를 끼워 납용접을 할 차례다.

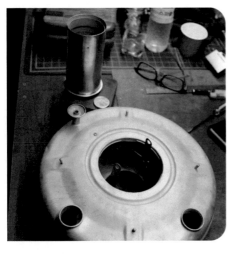

연료통 황동재질을 매트한 느낌의 반광작업인 유리가루샌딩을 진행한다.

납용접 후, 기밀 유지가되는지를 확인하기 위한 테스트 작업에 들어간다.

바스켓의 크롬과 스프레더의 크롬 코팅을 샌딩으로 털어낼 고민을 해본다.

슬리브의 상단부 위치가 정중앙에 놓여진 후, 그사이 틈으로, 심지가 원할하게 이동을해야 하는게 중요하다.

프레임에서 갤러리를 분리해야할 차례다. 연통부 하단, 고정클립을 풀어내야 한다.

연통부를 제거한후, 갤러리를 만나 본다.

갤러리 내 /외측부 모래샌딩 및 비드 샌딩으로 정리할 예정이다.

방치된 시간만큼, 겹겹이 쌓인 부식 덩어리를 볼 수 있다.

전장품 조립 전, 심지조절핸들휠을 끼워야 한다. 원형 압착식 고정이라, 조심히 끼운 후, 테두리를 조여준후, 한 곳에 납으로 땜을 시켜 고정해야 한다.

프레임 상단부, 부품인 크롬도금 엣지 분해.

유량계와 연료 마개(필러) 캡.

상단 보일링 범랑재질은 다시, 살릴 수 없기에, 모래 샌딩으로 털어낸 후, 내열 페인트 도장 작업으로 정리할 예정이다.

녹에찌든, 유량계를 분해 한다.

유량계 부품을
모두 분해한다.

유량계를 연료통
에 끼워진 모습.

전체 모래샌딩
및 비드샌딩 작
업으로 정리한
모습이다.

예비로 구해둔,
유량계 황동가
이드 덮개를 씌
워준다.

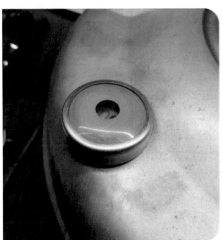

유량계를 조립
하고, 부력을 위
한 코르크도 새
것으로 교체, 연
료마개 캡도 털
어내고, 경화된
고무바킹도 교
체한다.

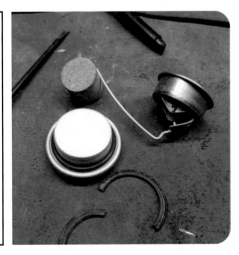

프레임을 모래
샌딩으로 털어
낸다.

유량계의 눈금
시인성을 확인
한 다음, 연료
통에 끼워넣기
만 하면 된다.

털어낼 수 있는
범위까지 털어
낸후, 무광흑색
으로 도장작업
을 진행한다.

갤러리와 바스켓, 스프레더까지 모두 크롬을 벗긴상황이다.

내게 오지않았다면, 수리불가 및 소품이나 디피용이나, 부품 적출용으로 생을 다했을거다.

상단 엣지부품도 크롬을 벗겨내고, 반광이 아닌, 유광으로 폴리싱작업으로 포인트를 줬다.

파란 불꽃이 시릴정도로 너무, 이쁘다.

ALADDIN HEATER
8 시리즈
특징 편

연료통 원형색
상은 깊은 청빛
이 난다.(상/하
색상차가 있는
게 원형 모습이
다.)

블루 프레임 히
터. 시리즈 8"
리본, 2019.10
.22.

이 친구가 새로
이 태어난 날짜
를 타각한다.

운모창틀도 황
동이다.
오랜시간으로
크렉이가 있지
만, 빈티지 한
느낌이 물씬
풍긴다.

알라딘 난로 8
은 특징이 몇군
데 있다. 그 중
한군데가 갤러
리상부에 타각
된 8"

연소부를 열어
본다.갤러리와
스프레더,바스
켓이 보인다.

심지를 상 / 하
이동하는 손잡
이에 특허번호
가 상당히 많
이 적혀 있다.

스프레더 상단에 8" 타각.

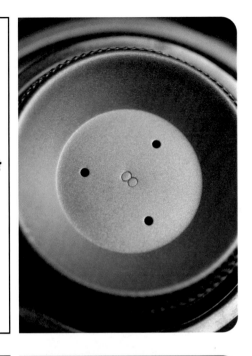

바스켓 옆면부에도 숫자 "8"이 타각이 되어 있다.

불을 붙인다. 천천히 불꽃이 원을 돌며, 서서히 붙는다.

핸드휠 손잡이로 불꽃을 높여준 후, 천천히 내리면서, 파란불이 약 8mm 정도까지만 불높이를 조정해준다.

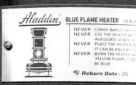

ALADDIN HEATER
15 시리즈
레드 커스텀

Aladdin **BLUE FLAME HEATER** SERIES

NEVER CARRY WHILST ALIGHT
NEVER USE THE HEATER WITHOUT
       ADEQUATE VENTILATION
NEVER PLACE THE HEATER WHERE
       IT CAN BE KNOCKED OVER
NEVER BURN THE HEATER WITH A
       YELLOW FLAME IT MUST
       BE BLUE

Reborn Date : 20

국내 정식발매된 알라딘난로 15형 이다. 하단에 원형발침대가 있고, 두군데 신한무역 스티커가 붙어있다.

나머지는 부품들의 상태는 크게 좋은상태는 아니다.

기존, 사용가가 손을 많이 본 상황인데..

연통부 하단 갤러리를 빼서 다시 끼웠 다지만. 결국,제 위치를 생각지 못한 조립 상태.

제대로 된 정비가 아닌, 엉망인 상태다.

연료통 내측부는 늘, 그러하듯,세월의 찌든등 유슬러지가 한가득 하다.

연료통 찍힘자국 없는거 하나보고 핸드휠 작동여부가 좋아 받은 건데, 상태가 별도다.

뜨거운 물과 약품을 반반 섞어 넣는다.

히터라인 아래에서 장시간 불린후,바닥에 고착된 등유 슬러지를 솔로 긁어내는 무한작업을 반복한다.

맨 처음 상태의 연료통 내부 모습이다.

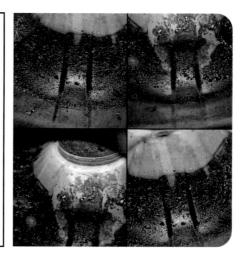

맑은 약품과 뜨거운 물. 장시간 뜨겁게 히터 라인에서 돌리고, 세척 후 쏟아져 나온 약품 색상이다.

약품 과 뜨거운 물과, 세척을 한 후, 완전 건조까지 끝낸 연료통 내부 모습이다.

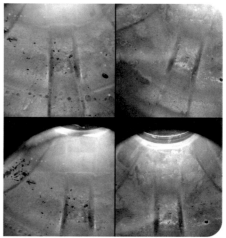

연료통 내측부 세척없이 새심지만 교체하고, 새등유 넣어봤자, 제대로 된 파란불과 냄새를 잡지 못한다.

모래샌딩 작업을 통해 한번 더, 털어낸 후, 연료통 내부 모습이다.

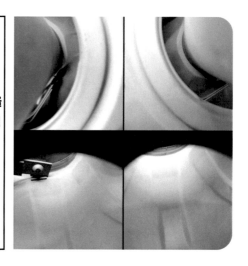

50년가까이 쌓여 있는 슬러지를 벗겨내고, 세척해야 제대로 된 알라딘 난로로 사용이 가능하다.

나머지 프레임들을 모두 분해 후, 털어내는 작업에 들어간다.

알라딘난로 15
형중, 초기형버
전에는 황동명
판이 붙여져 나
온다.

프레임 하단,열
고 닫는 부분 부
품도, 생체기 자
국 들의 흔적과
수평 균형이 틀
어져 있다.

연료통을 지지
해주는 하부발
4개 프레임.

통풍제어 부품과
이동손잡이,상단
보일링까지 모두
분해 한다.

상단부 연통을
지지해주는 수
직 프레임 모습
이다.

연소부 상태는
잘못된 손질로
인해, 거의 복
원불가 상태다.
바스켓 상단에
납땜으로 엉망
이고, 스프레더
정 중앙 구멍에
도 데미지가 심
하다.

프레임을 고정
시켜주는 알루
미늄 리벳을 모
두, 털어낸다.

연통부 분해작업
에 들어간다.

연통부의 범랑
크렉 모습이다.
열기로 인한,
팽창과 수축의
결과이기도 하
다.

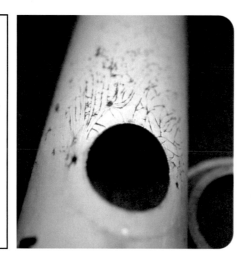

운모창틀과 고정
볼트 와 너트.

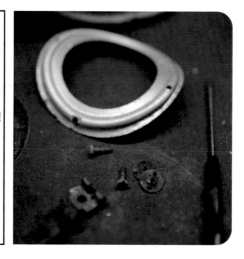

갤러리와 운모
창틀.

프레임 전장 부품
들을 모두 나열해
본다.

갤러리 내측부
의 그을음 자국
들.

연통부와 버너부
를 열고 닫는 중
요 부품이다.

갤러리와 연통부
하단고정 클립.

연통부를 잡아주
고, 상단 범랑후
드를 고정시켜주
는 보일링 부품이
다. 녹과 방치된
시간들의 흔적들
이 고스란히 보
인다.

수평프레임 역시,
내측부 녹이 한
가득 하다.

수평프레임 내
측부와 외측부
모두, 녹을 털
어낸 모습이다.

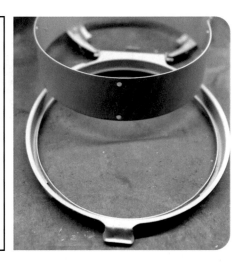

유량계 마개와
연료마개 상태.

수직 프레임과
상단 보일링, 이
동손잡이 까지
모래샌딩 작업
을 모두 끝냈다.

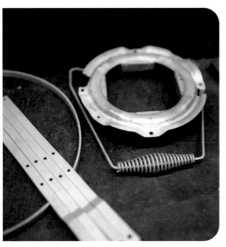

종일, 모래샌딩
기에 부품을 넣
고 털어내기 작
업에 들어가다.

프레임 전반에
걸친 모래샌딩
작업 결과물을
확인해 본다.

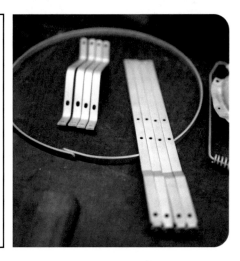

여닫는 프레임
내측부 녹과 그
을음 자국을 모
두 털어낸다.

연통 하단부 고
정 클립과 운모
창틀 고정 볼트
도 털어낸 상태.

도장 및 건조 작업을 끝내고, 조립 단계로 넘어 간다.

핸드휠 명판을 조립 전, 회전부 내측에 윤활제를 도포 한다.

갤러리 역시 모두 정리된 상태이다.

39형 심지를 개조한다. 15형걸쇠에 맞게 버튼식 고정단추를 새로 단다.

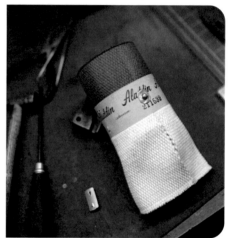

연통부 라인 조립이 완성됏다. 1 년전 미리 만들어 놓은 레드 색상의 범랑재질 연통이다.

15형 연료통 걸쇠에 개조한 심지를 끼워 넣고, 상 / 하 움직임 테스트 작업을 진행 한다.

갤러리 외측부를 블랙 내열페인트로 도장을 진행했다. 황금색과 블랙의 죠합!

도장 및 건조가 완료된 프레임을 하단 부터, 리벳팅 작업으로 조립을 시작한다.

프레임 전체에 황동 리벳으로 리벳팅 작업을 진행 한다.

가로 프레임 지지대에 위치를 잡고, 구멍을낸 후, 작은 황동 리벳으로 조심히 고정시켜 준다.

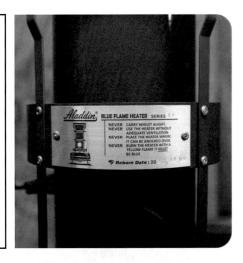

프레임 조립을 완성한다.

깨끗해진 갤러리 부.

새롭게 커스텀된 알라딘 난로이기에 명판을 달아 준다.

스프레더와 바스켓, 연소부 라인이다.

태어난 날짜인 23년 01월 09일 타각.
내가 작업해 만든 커스텀 알라딘 난로에 붙는 시그니처다.

이 모습을 보고파, 늘 고행의 길을 걷는다.

미리 넣어둔 등유에 심지가 충분히 적셔져 있는 상태기에, 불을 붙인다.

8각 핸드휠.

파란 불꽃의, 파도를 봐본다.

유량계 게이지.

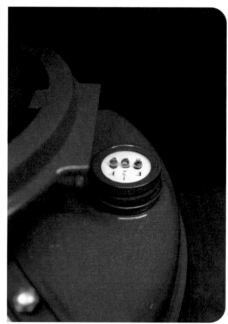

바스켓과 스프레더 및 갤러리 라인이 조율이 된 상태기이기에, 파란불꽃이 안정적인 모습을 보여준다.

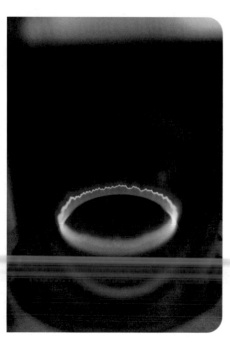

장시간 불꽃 상태를 확인 해본다.

연통부에 열기다 올라오면, 붉게 물든 더더욱, 짙은 붉은 색의 범랑 빛을 볼 수 있다.

범랑이 열을 받으면 변색 되는 특징이 있다. 범랑색상 중, 빨강색과 노랑 색상이 열기로 인한 색변색이 생긴다.

최종, 원형 받침대를 복원하는 마지막 단계다.

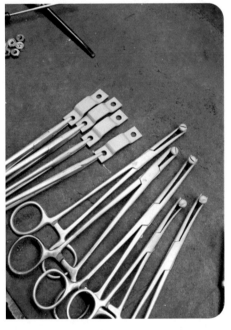

고정 브라켓의 볼트와 너트를 모두, 모래샌딩 처리를 한다.

중간 과정은 생략된 원형 받침대 도장 단계와 건조 단계를 뛰어 넘고, 조립까지 완성되 모습.

브라켓 색상은 알라딘난로 커스텀 바디색상과 동일, 레드 색상이다.

국내 정식수입된 알라딘 난로 15형에만 원형바닥 받침대가 있다. 신발을 벗는 문화이기에, 추가된 형태다.

ALADDIN HEATER
모음 편

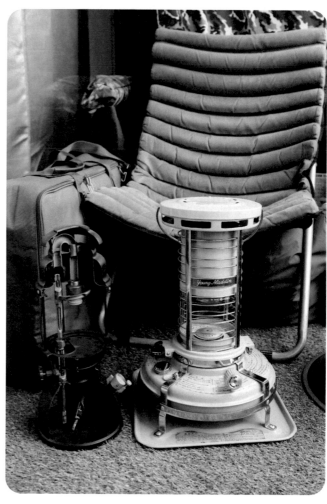

알라딘 난로 15형 커스텀 버전 (빨강 색상) 2대와 알라딘 난로 8 시리즈 복원 버전.
(알라딘 난로 15형은 1960년대 중반 ~ 1970년대 중후반 까지 생산, 알라딘 난로 8시리즈
는 1938년 부터 1940년대 중반까지 생산.)

알라딘 난로 15형 커스텀 버전 (빨강 색상) 2대와 영 알라딘 난로 원본 버전.
(영 알라딘 난로는 1980년대 초중반에 잠깐 생산되다 단종된 버전.)

알라딘 난로 8시리즈(30년대 후반)부터, H2201(50년대 중후반), 15형 이란제 알라딘(60
년대 ~ 70년대)까지 영국제 알라딘 난로만 모아, 정비 및 복원된 모습이다. 알라딘 난로는
수출국에 OEM 생산방식으로 부품과 자재를 보내, 현지에서 생산했던 방식을 채택 했다.

국내 생산 영 알라딘 난로 2대와 영국제 알라딘 난로 8 시리즈.
(영 알라딘 난로 1980년대 초반생산, 알라딘 난로 8 시리즈 1940년대 초반 생산)

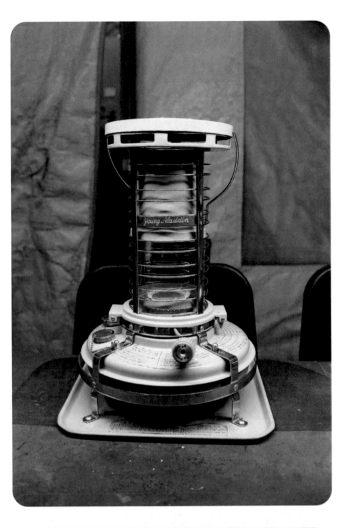

국내 생산 영 알라딘 난로와 일본제 알라딘
난로 39형. (영 알라딘난로 1980년대 초반
생산, 알라딘난로 39형 1970년대 중반생산)

새한 알라딘 난로_ SH-305 ROYAL ALADDIN (1980년대 중반생산.)

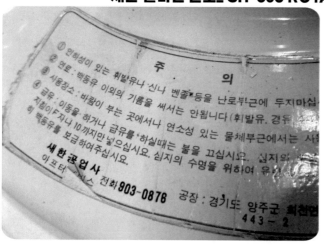

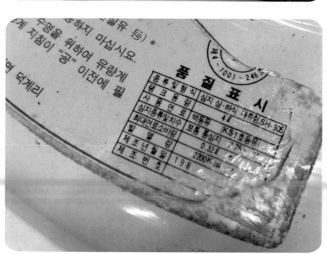

후지카 FKH-2300 (1980년대 중반 생산.)